NE ME CASSE PAS LES OREILLES AVEC TES SOUPIRS, CHARLIE BROWN

Charlie Brown et sa bande (9 titres de 128 pages chacun)

1. Paroles de soie et chien qui aboie
2. Y'a qu'un Woodstock
3. Tu cours après l'été, et l'hiver te rattrape
4. Un beagle qui a du chien
5. Ne me casse pas les oreilles avec tes soupirs, Charlie Brown
6. Le beagle est revenu sur terre
7. Je ne t'ai jamais promis un verger de pommiers
8. Même mes critiques ratent la cible
9. Les dieux du tennis étaient contre moi

Charlie Brown (16 titres de 64 pages chacun, non disponibles aux États-Unis)

Un amour de Charlie Brown
Belle mentalité, Snoopy
Le chef des briquets
Dis pas de bêtises, Charlie Brown
L'irrésistible Charlie Brown
Misère! Charlie Brown
Sois philosophe, Charlie Brown
T'as pas de veine, Charlie Brown
Te fais pas de bile, Charlie Brown
T'es le meilleur, Charlie Brown
Tiens bon, Charlie Brown
Tu te crois malin, Charlie Brown
Une vie de chien
Vois la vie en rose, Snoopy
Tu veux rire, Charlie Brown

Charlie Brown et sa bande

NE ME CASSE PAS LES OREILLES AVEC TES SOUPIRS, CHARLIE BROWN

Traduit et adapté par Irène Lamarre

Holt, Rinehart and Winston / New York.
Les Éditions HRW ltée

Charles M. Schulz

NE ME CASSE PAS LES OREILLES AVEC TES SOUPIRS, CHARLIE BROWN

Publié en 1981 par **Les Éditions HRW ltée**, Montréal.

Published simultaneously in the United States
by Holt, Rinehart and Winston,
383 Madison Avenue, New York, New York 10017.

Library of Congress Catalog Card Number: 81-85100

ISBN (Canada): 0-03-926255-3
ISBN (U.S.A.): 0-03-061646-8

Dépôt légal 4e trimestre
Bibliothèque nationale du Québec

Imprimé au Canada
1 2 3 4 5 ML 85 84 83 82 81

Composition et montage: Ateliers de Typographie Collette inc.

MON FILS
LE PERDANT.

C'EST PARTI!

EST-CE TON PÈRE, LÀ-BAS, CHARLIE BROWN?

OUI... IL A DIT QU'IL AIMERAIT NOUS REGARDER JOUER POUR LA FÊTE DES PÈRES...

TU FAIS MIEUX DE BIEN LANCER...

FAIS QU'IL SOIT FIER DE TOI, CHARLIE BROWN...
JE VAIS ESSAYER!

CETTE PARTIE EST EN TON HONNEUR, PAPA!

BONNE FÊTE DES PÈRES!!

PAF!

POUR SON ANNIVERSAIRE, JE LUI ACHÈTERAI UNE CRAVATE...
SCHULZ

SOUPIR

CONNAIS-TU DES RÈGLES POUR BIEN VIVRE, CHUCK?
TIENS LA BALLE AUX GENOUX...

NE LAISSE PAS TES CRAYONS DE CIRE AU SOLEIL, UTILISE TA SOIE DENTAIRE TOUS LES JOURS, DONNE QUATRE SEMAINES D'AVIS SI TU CHANGES D'ADRESSE ET NE METS PAS DE NOIR À CHAUSSURE SUR LES FAUTEUILS!

FRAPPE TOUJOURS AVANT D'ENTRER, NE LAISSE PAS LES FOURMIS ALLER DANS LE SUCRE, N'ACCEPTE JAMAIS DE PRÉSIDENCE HONORAIRE, PASSE UN AS À TON PREMIER SERVICE...

.... ET NOURRIS TON CHIEN DÈS QU'IL A FAIM.

CES RÈGLES VONT VRAIMENT M'AIDER À AVOIR UNE VIE MEILLEURE, CHUCK?

UNE VIE MEILLEURE ET UN CHIEN GRAS!
SCHULZ

ATTENTION! IL Y A UN INSECTE QUI TRAVERSE LE COURT!

DÉPÊCHE-TOI! TU VAS TE FAIRE ÉCRASER...

PARDON? OH!... MERCI BEAUCOUP...

IL A DIT QUE JE DEVRAIS PLIER DAVANTAGE LES GENOUX

LE SOUPER N'EST QUE DANS UNE DEMI-HEURE!

J'ESPÉRAIS SEULEMENT QUELQUES BRANCHES DE CÉLERI...

JE VIENS DE TROUVER LA THÉORIE PARFAITE.

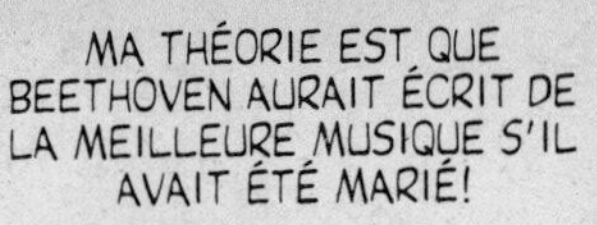
MA THÉORIE EST QUE BEETHOVEN AURAIT ÉCRIT DE LA MEILLEURE MUSIQUE S'IL AVAIT ÉTÉ MARIÉ!

QU'Y A-T-IL DE SI PARFAIT DANS CETTE THÉORIE?

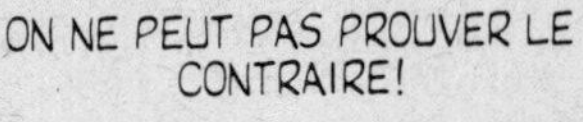
ON NE PEUT PAS PROUVER LE CONTRAIRE!

SCHULZ

J'AI AUSSI UNE THÉORIE...

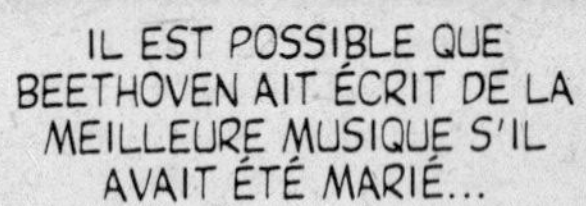
IL EST POSSIBLE QUE BEETHOVEN AIT ÉCRIT DE LA MEILLEURE MUSIQUE S'IL AVAIT ÉTÉ MARIÉ...

MAIS UNE CHOSE DONT IL N'AVAIT SÛREMENT PAS BESOIN, C'EST DE QUELQU'UN APPUYÉ SUR SON PIANO LUI PARLANT SANS ARRÊT!!

QUELLE CURIEUSE THÉORIE!
SCHULZ

TU AURAIS DÛ VENIR AVEC MOI AU MUSÉE DES BEAUX-ARTS...

J'AI VU UNE PHOTO GÉANTE DE BEETHOVEN ET DE SON ORCHESTRE TRAVERSANT LE DELAWARE!

ILS ÉTAIENT DANS UN BATEAU À RAMES ET BEETHOVEN ÉTAIT DEBOUT À LA PROUE...

LA PHOTO A DÛ ÊTRE PRISE ALORS QU'ILS SE RENDAIENT À NASHVILLE.
SCHULZ

Cher collaborateur,

Nous vous retournons votre manuscrit. Il ne répond pas à nos besoins du moment.

P.S. Nous remarquons que vous avez envoyé votre récit par poste recommandée.

Vous pouvez envoyer vos balivernes par la poste ordinaire.
SCHULZ

DE QUOI PARLEZ-VOUS, LES GARS?

NOUS CHERCHONS UNE STRATÉGIE
POURQUOI PAS UNE DÉFENSIVE SERRÉE?

UNE DÉFENSIVE SERRÉE?

JE VAIS SERRER LE RECEVEUR DANS MES BRAS!
!
SCHULZ

ÉCOUTE, SI TU NE CESSES PAS D'ENQUIQUINER MON RECEVEUR, IL VA QUITTER L'ÉQUIPE!

JE VOULAIS JUSTE L'EMBRAS-SER...
EMBRASSE QUELQU'UN D'AUTRE! IL Y A SEPT AUTRES GARS DANS L'ÉQUIPE QUE TU PEUX EMBRASSER!

ENFIN, SIX AUTRES GARS!
SCHULZ

AREUH AREUH
GLOB
AREUH AREUH

JE SAVAIS QU'IL NE FERAIT PAS DIX LONGUEURS SOUS L'EAU!
SCHULZ

JE N'ÉCOUTE PAS!

TU COMMENCES À ÊTRE TRÈS FATIGANT.

OUBLIE ÇA! SI J'Y VAIS MAINTENANT IL VA HURLER!

D'ACCORD, MAIS ÇA NE MARCHERA PAS... JE TE LE DIS!

SIFFLE TANT QUE TU VOUDRAS...

TU VAS SIFFLER MOINS FORT TOUT À L'HEURE!

BOUM BOUM
BOUM BOUM

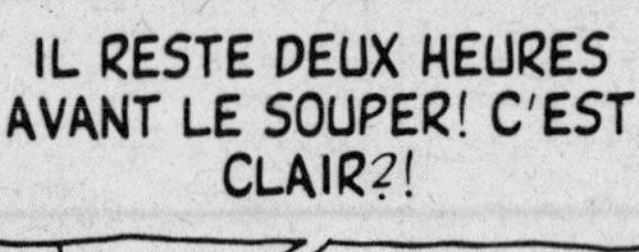
IL RESTE DEUX HEURES AVANT LE SOUPER! C'EST CLAIR?!

VOS YEUX VOUS TROMPENT ET VOS JAMBES VOUS LÂCHENT, MAIS C'EST L'ESTOMAC QUI VOUS MET LES PIEDS DANS LES PLATS!
SOUPIR

J'Y VAIS, MAIS JE SAIS QUE JE VAIS LE REGRETTER...

JE N'AIME PAS LES GALAS AQUATIQUES DE WOODSTOCK!

J'ouvris la porte de mon bureau poussiéreux de Rimouski. La journée s'annonçait mal.

Quand elle est apparue dans l'encadrement de la porte, j'ai compris que mes problèmes commençaient.

CETTE HISTOIRE DE DÉTECTIVE NE PEUT PAS SE PASSER À RIMOUSKI...
NON?

QUE DIRAIS-TU DE THETFORD MINES?

JE ME DEMANDE POURQUOI JE FAIS ÇA...

JE ME DEMANDE POURQUOI JE PASSE MES JOURNÉES ICI À PERDRE PARTIE APRÈS PARTIE? POURQUOI?

PROBABLEMENT PARCE QUE TU AIMES ÇA.

TU T'ARRANGES TOUJOURS POUR AVOIR RAISON, N'EST-CE PAS?
SCHULZ

LES DENTS DE LA FONTAINE!

HI HI HI HI
SCHULZ

LE PAUVRE WOODSTOCK SE CROYAIT SUR UN MANÈGE!
SCHULZ

IL Y A UNE CHOSE QUE JE NE COMPRENDS PAS, CHUCK... C'EST L'AMOUR!
C'EST PAS GRAVE.

EXPLIQUE-MOI L'AMOUR, CHUCK...
ÇA NE S'EXPLIQUE PAS...

JE PEUX TE SUGGÉRER UN LIVRE, UN TABLEAU, UNE CHANSON, UN POÈME MAIS JE NE PEUX PAS EXPLIQUER L'AMOUR.

ESSAIE, CHUCK! FAIS UN EFFORT...
BIEN, DISONS QUE JE VOIS VENIR UNE JOLIE PETITE FILLE, ET JE...

POURQUOI DOIT-ELLE ÊTRE JOLIE, CHUCK? ON NE PEUT PAS TOMBER EN AMOUR AVEC UNE FILLE QUI N'EST PAS JOLIE, QUI A DES TACHES DE ROUSSEUR ET UN GROS NEZ?

EXPLIQUE-MOI ÇA, CHUCK!!

TU AS PEUT-ÊTRE RAISON... DISONS D'ABORD QUE JE VOIS VENIR UNE FILLE QUI A UN TRÈS GROS NEZ, ET...

JE N'AI PAS DIT UN TRÈS GROS NEZ, CHUCK!

NON SEULEMENT TU NE PEUX PAS EXPLIQUER L'AMOUR... TU NE PEUX MÊME PAS EN PARLER...
SCHULZ

QUELLE EST TA PHILOSOPHIE, CHARLIE BROWN?

LE SECRET DU BONHEUR EST D'AVOIR CONFIANCE EN LA VIE!

IL Y A UNE DIFFÉRENCE ENTRE UNE PHILOSOPHIE ET UN SLOGAN D'AUTO-COLLANT!
SCHULZ

COMMENT RÉAGIRAIS-TU SI JE TE DISAIS QUE JE PEUX PROUVER QUE TOUTE LA MUSIQUE DE BEETHOVEN A ÉTÉ ÉCRITE PAR SA MÈRE?

C'EST LA PIRE STUPIDITÉ QUE J'AIE JAMAIS ENTENDUE!

TU DÉTESTES LES FEMMES, N'EST-CE PAS?
SCHULZ

TU AS REÇU UNE LETTRE D'UN CERTAIN SPIKE...

SPIKE? SPIKE?!! ES-TU SÉRIEUX!!

IL DIT, «JE PASSERAI CHEZ VOUS EN ALLANT OU EN REVENANT D'ARIZONA... JE NE SAIS PLUS... PEU IMPORTE?»

C'EST VRAIMENT SPIKE!
SCHULZ

SPIKE S'EN VIENT!
SPIKE? QUI C'EST CELUI-LÀ?

C'EST LE FRÈRE AÎNÉ DE SNOOPY... IL VIENT LE VOIR POUR QUELQUES JOURS.

JE NE SAVAIS PAS QUE TU AVAIS UN FRÈRE AÎNÉ, GROS NEZ!

EST-CE QUE JE LA MORDS MAINTENANT OU SI J'ATTENDS QUE SPIKE SOIT ICI ET QU'IL FASSE ÇA LUI-MÊME?

JE N'AI PAS VU MON FRÈRE SPIKE DEPUIS BELLE LURETTE...

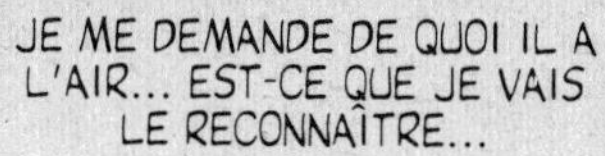
JE ME DEMANDE DE QUOI IL A L'AIR... EST-CE QUE JE VAIS LE RECONNAÎTRE...

UN INSTANT!

TOUS LES BEAGLES NE SE RESSEMBLENT PAS!
SCHULZ

HÉ, CHAT STUPIDE! MON FRÈRE SPIKE S'EN VIENT!

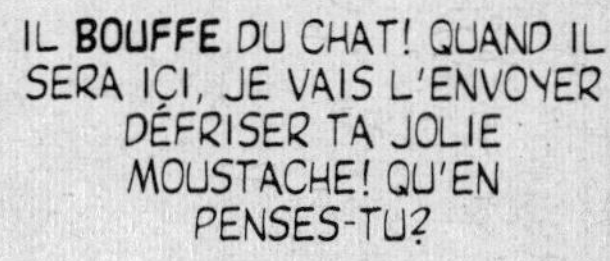
IL BOUFFE DU CHAT! QUAND IL SERA ICI, JE VAIS L'ENVOYER DÉFRISER TA JOLIE MOUSTACHE! QU'EN PENSES-TU?

CRAAC

JE NE DEVRAIS JAMAIS LUI DEMANDER CE QU'IL PENSE...
SCHULZ

?
QUE DIS-TU DE ÇA?

C'EST POUR TON FRÈRE SPIKE... JE LUI AI ACHETÉ UN BOL POUR MANGER.

SAIS-TU S'IL A DES GOÛTS PARTICULIERS?
CERTAINEMENT! CHAQUE MATIN IL FAUDRA LUI SERVIR DES OEUFS MIMOSA!

J'EN PRENDRAI AUSSI, NATURELLEMENT, POUR QU'IL NE MANGE PAS SEUL...
SCHULZ

S'IL TE PLAÎT
OÙ VEUX-TU LA BIÈRE D'ÉPINETTE, EN BAS DANS LE RÉFRIGÉRATEUR?

JE ME SUIS SOUVENU QUE MON CHER FRÈRE SPIKE AIMAIT LA BIÈRE D'ÉPINETTE...

BANG
BANG
CLING
CLANG
BOM
BOM
BOM
BOM
CLONG
BONG
CLING
CLANG

CE N'EST PAS DRÔLE DÉBOULER UN ESCALIER EN PORTANT VINGT-QUATRE CANETTES DE BIÈRE D'ÉPINETTE...
LA MAIN-D'OEUVRE N'EST PLUS CE QU'ELLE ÉTAIT.
SCHULZ

J'AI HÂTE DE VOIR TON FRÈRE SPIKE.
IL DEVRAIT ÊTRE ICI DEMAIN...

ON M'A DIT QU'IL HABITAIT L'ARIZONA... QU'EST-CE QU'IL FAISAIT LÀ-BAS?

JE PENSE QU'IL ÉTAIT GÉRANT D'UN DÉPANNEUR...

IL N'A PROBABLEMENT JAMAIS RIEN FAIT!! COMME TOI!
SOUPIR
SCHULZ

SPIKE EST ARRIVÉ!!

IL EST ARRIVÉ TARD HIER SOIR... JE NE L'AI PAS ENCORE VU...
Z

RÉVEILLE-TOI, SPIKE! NOUS VOULONS VOIR À QUI TU RESSEMBLES!

JE VOIS DÉJÀ UNE RESSEMBLANCE...
LE NEZ DE LA FAMILLE!
SCHULZ

MON FRÈRE
S'EST LEVÉ!

DES OEUFS MIMOSA
POUR MON FRÈRE SPIKE!

IL AURAIT PLUTÔT
BESOIN D'UN STEAK DE
BISON DE 5 KILOS...

SCHULZ

SPIKE! POUR
L'AMOUR!
TU ES AUSSI
MINCE QU'UNE
PROMESSE!

C'EST LE CHIEN LE PLUS
MISÉRABLE QUE J'AI JAMAIS
VU!

JE VAIS L'AMENER CHEZ
NOUS POUR LE REMPLUMER!
PAUVRE
SPIKE

TU N'AURAIS PAS DÛ
T'EXILER!
SCHULZ

OÙ AMÈNES-TU SPIKE?
CE CHIEN A BESOIN DE PRENDRE DU POIDS!

SI TU VEUX BIEN, CHARLIE BROWN, JE VAIS L'AMENER CHEZ MOI ET EN PRENDRE SOIN

SPIKE EST VRAIMENT MAIGRE ET PÂLE... J'ESPÈRE QUE ÇA TE FAIT APPRÉCIER NOS BONS SOINS...

J'ÉTAIS SÛR QUE ÇA VIENDRAIT SUR LE TAPIS TÔT OU TARD...
SCHULZ

IL Y A UN CHIEN DANS MON LIT!

TAIS-TOI, IMBÉCILE! J'ESSAIE DE LE RAMENER À LA SANTÉ!

DANS **MON** LIT?! DANS **MA** CHAMBRE?!!

ET IL PORTE MA COUVERTURE!
TENUE D'HÔPITAL!
SCHULZ

QUE FAIS-TU LÀ?

UN LAIT AU CHOCOLAT POUR LE FRÈRE DE SNOOPY... J'ESSAIE DE LE REMPLUMER... POUR LE RAMENER À LA SANTÉ!

JE SUIS TON **PROPRE** FRÈRE ET TU NE **M**'AS JAMAIS APPORTÉ DE LAIT AU CHOCOLAT!

QUAND IL AURA TERMINÉ, TU POURRAS LÉCHER LA PAILLE!
SCHULZ

JE SAIS POURQUOI TON FRÈRE EST SI MAIGRE...

IL A PASSÉ SA VIE DANS LE DÉSERT AVEC DES COYOTES!

IL ÉTAIT PROBABLEMENT LEUR CHEF... CE VIEUX SPIKE A TOUJOURS AIMÉ LES RESPONSABILITÉS!

IL SORTAIT LES POUBELLES LE VENDREDI MATIN!
SCHULZ

UN AUTRE
LAIT AU CHOCOLAT
POUR SPIKE?

TU VAS GÂTER
CE CHIEN!

OÙ EST PASSÉ
NOTRE TÉLÉVISEUR!

«PAPA A RAISON, MAMAN A
RAISON... TOUT LE MONDE A
RAISON!» «AH QUELLE
FAMILLE!»
SCHULZ

VIENS-TU
VOIR TON
FRÈRE?

SPIKE EST TRÈS MAIGRE...
J'AI ENTENDU DIRE QU'IL A
VÉCU DANS LE DÉSERT AVEC
DES COYOTES...

TU NE
SAIS PAS
APPRÉCIER
LA VIE QUE
TU MÈNES!
J'APPRÉCIE TOUT
CE QUE L'ENFANT
À LA TÊTE RONDE
FAIT POUR
MOI...

TU NE
SAIS PAS LE
NOM DE TON
MAÎTRE?!
C'EST UN NOM
COMPLIQUÉ...
J'AI DE LA
DIFFICULTÉ
AVEC LES NOMS
COMPLIQUÉS...
SCHULZ

HÉ, CHAT STUPIDE...

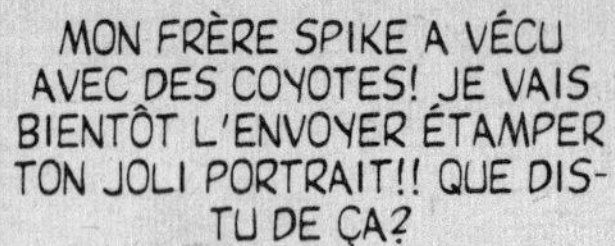
MON FRÈRE SPIKE A VÉCU AVEC DES COYOTES! JE VAIS BIENTÔT L'ENVOYER ÉTAMPER TON JOLI PORTRAIT!! QUE DIS-TU DE ÇA?

GRIF!

JE DEVRAIS PEUT-ÊTRE ENVOYER LES COYOTES!
SCHULZ

VOUS PENSIEZ QUE JE N'ÉTAIS PAS CAPABLE, N'EST-CE PAS?

SACHEZ QUE SPIKE N'EST PLUS DU TOUT MAIGRE! JE L'AI REMIS EN FORME!

VIENS-T'EN SPIKE! VIENS MONTRER COMME TU ES BEAU!

SCHULZ

TON HEURE A SONNÉ, CHAT STUPIDE!

TIENS, VOICI MON FRÈRE! IL EST FORT COMME UN BOEUF!

GRAS COMME UN COCHON!

VAS-Y SPIKE, T'ES PLUS FORT QUE LUI!

MONTRE-LUI CE QUE TU SAIS FAIRE! MONTRE-LUI QUE TU AS VÉCU AVEC DES COYOTES!

CLAC!

CHAT STUPIDE!

TU AS TELLEMENT FAIT PEUR À MON FRÈRE QU'IL EST REPARTI POUR L'ARIZONA! JE NE LE REVERRAI PEUT-ÊTRE PLUS JAMAIS!!

ET REGARDEZ CE QU'IL A FAIT À MA MAISON...

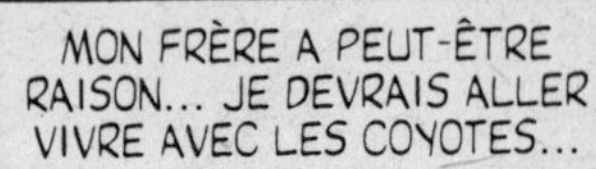
MON FRÈRE A PEUT-ÊTRE RAISON... JE DEVRAIS ALLER VIVRE AVEC LES COYOTES...

DEMANDE À TA MÈRE SI ELLE VEUT QUE JE LAVE SA VOITURE...

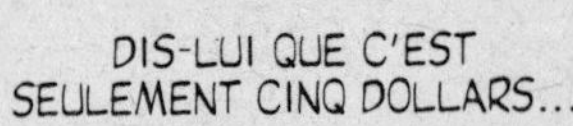
DIS-LUI QUE C'EST SEULEMENT CINQ DOLLARS...

ELLE N'A QUE CINQUANTE SOUS.

POUR CINQUANTE SOUS JE NETTOIERAI LA BOÎTE À GANTS.

POURQUOI LES OISEAUX
ONT-ILS BESOIN DE FICELLE
POUR CONSTRUIRE LEUR NID?

JE NE LE
SAIS PAS.

SCHULZ

SCHULZ

SI LA SEULE CHOSE À FAIRE, C'EST CHERCHER: J'AI CHERCHÉ!

J'AI CHERCHÉ LE BONHEUR À LA MAISON ☼SOUPIR☼

J'AI CHERCHÉ LE BONHEUR DANS TOUT LE VOISINAGE... UN JOUR, JE LE CHERCHERA PEUT-ÊTRE À TRAVERS TOUT LE PAYS...

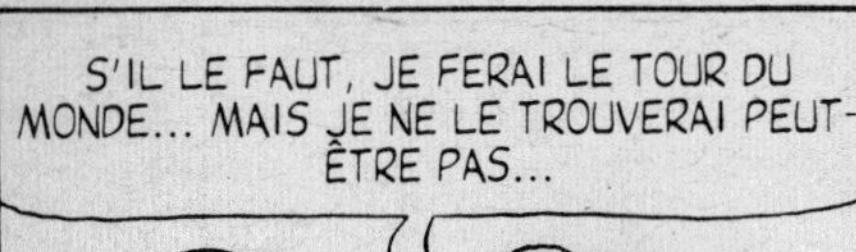
S'IL LE FAUT, JE FERAI LE TOUR DU MONDE... MAIS JE NE LE TROUVERAI PEUT-ÊTRE PAS...

ALORS, APRÈS AVOIR FAIT LE TOUR DU MONDE, JE REVIENDRAI À LA MAISON.

ET QUAND TU SERAS REVENUE À LA MAISON, TU TROUVERAS LE VRAI BONHEUR QUI AVAIT TOUJOURS ÉTÉ ICI! C'EST ÇA QUE TU VEUX DIRE?

NON, MAIS PEUT-ÊTRE QUE JE TROUVERA CE STUPIDE PETIT BRACELET ROSE QUE J'AI PERDU HIER!

SCHULZ

OÙ SONT PASSÉS JUIN, JUILLET ET AOÛT?
ENCORE L'ÉCOLE! C'EST PAS CROYABLE!
JE N'AI JAMAIS VU UN ÉTÉ PASSER AUSSI VITE DE TOUTE MA VIE...
ENCORE L'ÉCOLE!
ENCORE UNE ANNÉE DANS CE VIEIL ÉDIFICE TOUT CROCHE!!
BANG!
UN PEU DE RESPECT POUR L'ÂGE D'OR, PETITE!

DEMAIN, ÇA RECOMMENCE
LES ÉLÈVES, LES PROFS, LE BRUIT, LA CONFUSION...
... MAIS CE N'EST PAS LE PIRE...
C'ÉTAIT LE DERNIER MATIN OÙ JE POUVAIS FAIRE LA GRASSE MATINÉE!
SCHULZ
J'AI ENVIE DE M'INSCRIRE À UN COURS DE THÉOLOGIE...
JE VEUX TOUT SAVOIR SUR LA RELIGION...
JE VEUX CONNAÎTRE MOÏSE ET SAINT JEAN ET D'IBERVILLE...
D'IBERVILLE?
SCHULZ

Pour écrire l'histoire de l'Église, il faut remonter très très loin à ses origines

NOUS DEVRIONS ALLER NOUS ACHETER UNE CRÈME GLACÉE.

BONNE IDÉE! VA ACHETER LA TIENNE...

QUAND TU SERAS DE RETOUR J'IRAI M'EN ACHETER UNE!

TRÈS ROMANTIQUE!
SCHULZ

IL FRAPPE DES BALLES CONTRE LE GARAGE DEPUIS DES SEMAINES...

IL S'ENTRAÎNE POUR UN TOURNOI DE DOUBLES MIXTES.

OUI? ET QUI SERA SON PARTENAIRE?
LE GARAGE!
SCHULZ

QUE C'EST TRISTE DE VOIR QU'IL Y A DES GENS QUI VEULENT TOUJOURS GAGNER!

SI UN JOUR ON PUBLIE UN LIVRE SUR LES MEILLEURS REPAS DE TOUS LES TEMPS, CE DÎNER AURA LA PREMIÈRE PAGE!

PEUT-ÊTRE PAS!

TU AS JOUÉ AVEC LE GARAGE AU TOURNOI DE DOUBLES MIXTES?

AVEZ-VOUS GAGNÉ? AVEZ-VOUS BIEN JOUÉ?

J'AI TRÈS BIEN JOUÉ...

MAIS LE GARAGE S'EST EFFONDRÉ!

TU FRAPPES ENCORE DES BALLES SUR LE GARAGE...

C'EST TRÈS SPÉCIAL D'AVOIR UN GARAGE COMME PARTENAIRE EN DOUBLE MIXTE.

QUE PRÉFÈRES-TU DANS SON JEU...

IL NE FAIT JAMAIS DE FAUTES DE PIEDS!

LE SUJET DE MON EXPOSÉ SERA «LES GLACIERS»...
LES GLACIERS SONT D'ÉNORMES RIVIÈRES DE GLACE.
SOUVENT UN GLACIER AVANCERA D'UN PIED POUR ENSUITE RECULER DE TROIS...
LES GLACIERS ME RESSEMBLENT BEAUCOUP!
SCHULZ
ÉTRANGE!
SCHULZ

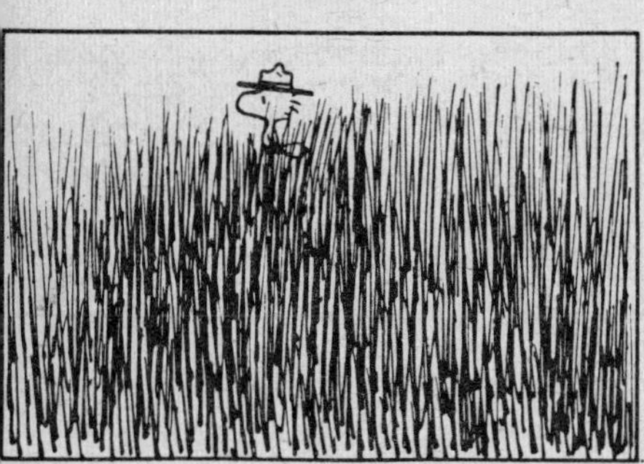

SCHULZ

LIMITES
DE LA
VILLE

Z Z Z Z
AINSI FINIT LA RANDONNÉE...
SCHULZ

IL PARAÎT QUE TOI ET TA FAMILLE VOUS PARTEZ POUR UNE SEMAINE
DEMANDE À TA MÈRE SI ELLE VEUT M'ENGAGER POUR GARDER LA MAISON
AS-TU DÉJÀ GARDÉ DES MAISONS?
SÛREMENT!
QUE FERAS-TU SI ELLE PLEURE?
SCHULZ
DEMANDE À TA MÈRE SI ELLE VEUT QUE JE RAMASSE UNE DE SES FEUILLES
UNE?! LA COUR EST PLEINE DE FEUILLES MORTES!
JE SUIS PLUTÔT NOUVEAU DANS LE MÉTIER...
J'AIMERAIS AUTANT COMMENCER AVEC UNE SEULE ET VOIR SI ÇA VA BIEN!
SCHULZ

DEMANDE À TON PÈRE S'IL VEUT QUE JE RAMASSE LES FEUILLES DANS VOTRE COUR

IL N'EST PAS SÛR QUE TU ES CAPABLE DE FAIRE DU BON TRAVAIL...

MONTRE-LUI MA FEUILLE ÉCHANTILLON!
SCHULZ

SIX HEURES EST PASSÉ...

C'EST TOUJOURS LA MÊME CHOSE!

MON APPÉTIT SE RÉVEILLE TROP TÔT... MON SOUPER EST EN RETARD...

... ET JE SUIS COINCÉ AU MILIEU!
SCHULZ

MADA'AAME, J'AI UN PROJET DE SCIENCES POUR LA CLASSE...

POURQUOI NE FAISONS-NOUS PAS DU CHAHUT? C'EST FACILE À FAIRE... NOUS NOUS METTONS TOUS ENSEMBLE ET NOUS CRIONS TRÈS FORT...

HA HA HA HA HA!

OUI MADA'AAME...
SCHULZ

MALHEUREUSE-MENT, JE CROIS QU'IL N'Y A PAS BEAUCOUP D'EMPLOI POUR LES IMITATEURS DE FEUILLES.
SCHULZ

AS-TU EU DES NOUVELLES DE SPIKE DEPUIS QU'IL EST PARTI?
NON, PAS UN MOT

J'IMAGINE QU'IL EST DÉJÀ CHEZ LUI.

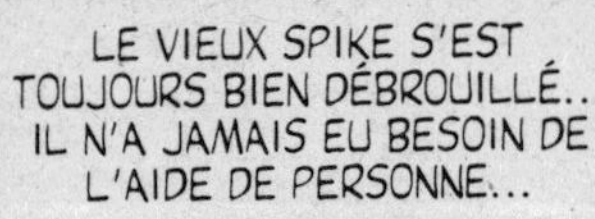
LE VIEUX SPIKE S'EST TOUJOURS BIEN DÉBROUILLÉ... IL N'A JAMAIS EU BESOIN DE L'AIDE DE PERSONNE...

ARIZONA

ARIZONA

CHICAGO?

MAMAN! ARRÊTE! IL Y A UN CHIEN QUI FAIT DE L'AUTO-STOP!!

ARIZONA

DÉSOLÉE, VIEUX! MAMAN PENSE QUE TU AS LA RAGE.

MOI QUI N'AI MÊME PAS EU LES OREILLONS!
SCHULZ

ARIZONA

DÉSOLÉ, CHIEN... NOUS NE POUVONS T'AMENER... MON PÈRE DIT QUE TU DOIS AVOIR DES PUCES!

DIEU, FAITES QUE SON DISPOSITIF ANTI-POLLUTION AUGMENTE SA CONSOMMATION D'ESSENCE!
SCHULZ

ARIZONA

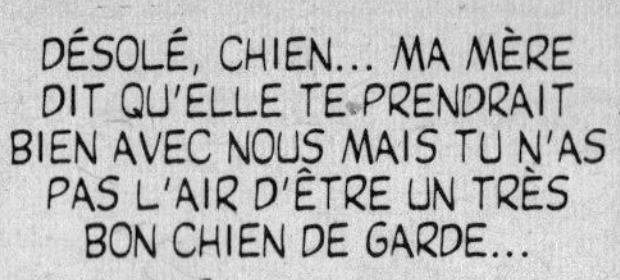
DÉSOLÉ, CHIEN... MA MÈRE DIT QU'ELLE TE PRENDRAIT BIEN AVEC NOUS MAIS TU N'AS PAS L'AIR D'ÊTRE UN TRÈS BON CHIEN DE GARDE...

ELLE A RAISON

PENDANT QUE JE LUI PARLAIS, QUELQU'UN M'A VOLÉ MON AFFICHE!

EN ROUTE POUR L'ARIZONA!

TU NE LE TIENS JAMAIS! TU L'ENLÈVES TOUJOURS ET JE TOMBE SUR LE DOS ET JE ME FAIS TRÈS MAL!

C'EST DE LA MÉFIANCE! TU TE MÉFIES DE MOI COMME ATHLÈTE, COMME PERSONNE ET COMME FEMME! TE MÉFIES-TU DE TOUTES LES FEMMES? TE MÉFIES-TU DE TA PROPRE MÈRE?

CES EXAMENS ME RENDENT FOLLE...

?

MADA'AAME, JE NE COMPRENDS PAS LA TROISIÈME QUESTION...

VOULEZ-VOUS QUE NOUS ÉCRIVIONS CE QUE NOUS PENSONS OU CE QUE NOUS PENSONS QUE VOUS VOULEZ QUE NOUS ÉCRIVIONS?

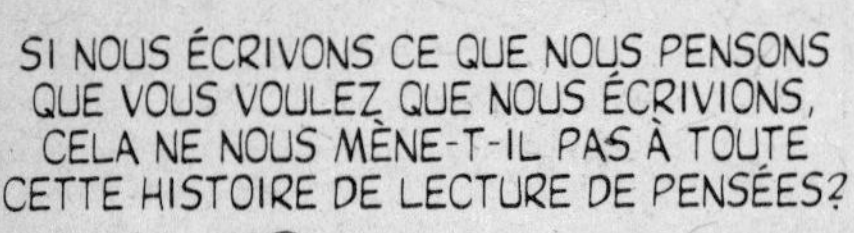
SI NOUS ÉCRIVONS CE QUE NOUS PENSONS QUE VOUS VOULEZ QUE NOUS ÉCRIVIONS, CELA NE NOUS MÈNE-T-IL PAS À TOUTE CETTE HISTOIRE DE LECTURE DE PENSÉES?

JE NE SUIS PAS TRÈS BONNE POUR LIRE LES PENSÉES... JE NE SUIS MÊME PAS SÛRE QUE ÇA MARCHE...

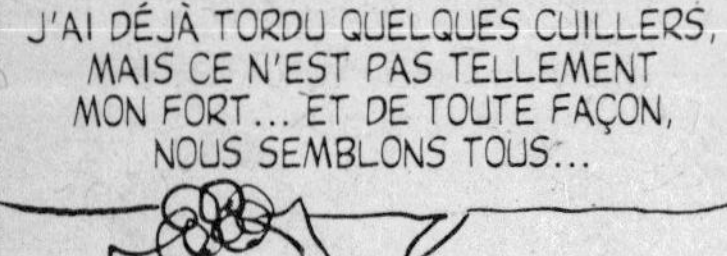
J'AI DÉJÀ TORDU QUELQUES CUILLERS, MAIS CE N'EST PAS TELLEMENT MON FORT... ET DE TOUTE FAÇON, NOUS SEMBLONS TOUS...

OUI, MADAME?

3. Maurice Duplessis était un brave homm
SOUPIR

JE NE PEUX PAS LE CROIRE!

QU'EST-CE QUI SE PASSE?

UN MOT DU PROFESSEUR POUR MES PARENTS...

J'AI ZÉRO POUR MA FAÇON DE BOIRE À LA FONTAINE!
SCHULZ

ÇA NE RATE JAMAIS...

MES ORTEILS RELAXENT, MES JAMBES S'ENGOURDISSENT, MON ESTOMAC EST CALME, MES YEUX SONT FERMÉS...

LE SOMMEIL M'ENVAHIT... ET C'EST LÀ QUE ÇA SE PRODUIT...

MA FOURRURE SE HÉRISSE!!
SCHULZ

Examen d'histoire

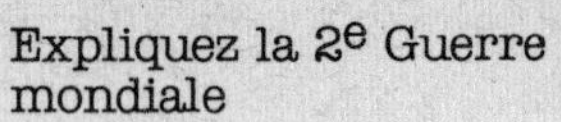
Expliquez la 2e Guerre mondiale

EXPLIQUEZ LA 2e GUERRE MONDIALE?!

Utilisez les deux côtés de la feuille si nécessaire.

JE DÉTESTE VOIR LE SOLEIL SE COUCHER... J'AI PERDU UNE AUTRE JOURNÉE...

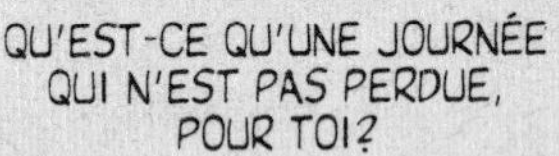
QU'EST-CE QU'UNE JOURNÉE QUI N'EST PAS PERDUE, POUR TOI?

UNE JOURNÉE OÙ JE RENCONTRE LA FILLE DE MES RÊVES, OÙ JE SUIS ÉLU PREMIER MINISTRE, OÙ JE GAGNE LE PRIX NOBEL ET OÙ JE FRAPPE UN COUP DE CIRCUIT!

JE COMPRENDS POURQUOI TU DÉTESTES VOIR LE SOLEIL SE COUCHER...

DE RETOUR APRÈS UNE BRÈVE PAUSE D'IDENTIFICATION DE NOTRE POSTE...

MENTEUR!!

FANTASTIQUE!

ON GARDE PARFOIS DES CHOSES ÉTRANGES...

MAIS GARDER LA COQUILLE DANS LAQUELLE TU AS ÉTÉ COUVÉ EST TRÈS PARTICULIER!

Très chère adorée,

Je t'aime tellement,

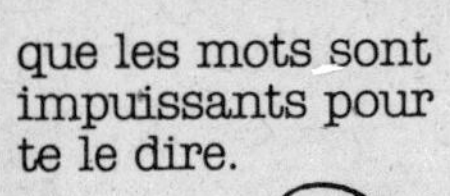
que les mots sont
impuissants pour
te le dire.

Alors, oublie-moi.
SCHULZ

Z

SCHULZ

Chère, très
chère, chérie,

Je veux te
connaître mieux.

Je veux te
comprendre. Je veux
tout savoir de toi.

Préfères-tu la
nourriture sèche
ou la nourriture en
conserve?

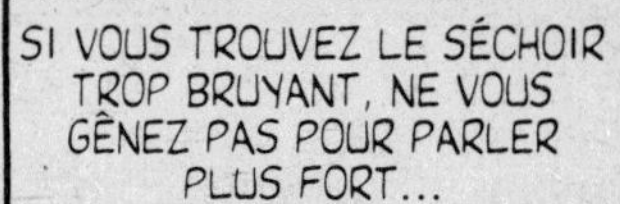

!!!!
!!!!
!!!?
C'EST VRAI!

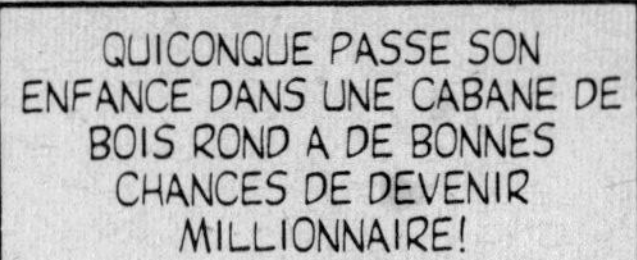
QUICONQUE PASSE SON ENFANCE DANS UNE CABANE DE BOIS ROND A DE BONNES CHANCES DE DEVENIR MILLIONNAIRE!

SCHULZ

Ma chérie,

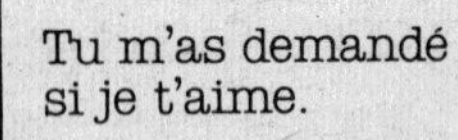
Tu m'as demandé si je t'aime.

Je n'ai qu'un mot pour te répondre.

Ouais.
SCHULZ

Z

J'DORS PAS! LA RÉPONSE EST DOUZE!

LA GRANDE-BRETAGNE!
DU BLÉ ET DE L'ORGE?

JOHN A. MACDONALD! NABUCHODONOSOR! ÉTUDE EN ROUGE!

C'EST VRAI?

C'EST FORT GÊNANT...

C'ÉTAIT LE SIGNAL POUR PARTIR!
SCHULZ

UN BILLET, S'IL VOUS PLAÎT...

QUEL EST LE TITRE DU FILM, LINUS?
ÇA S'APPELLE «PIEDS»

DES PIEDS GÉANTS PIÉTINENT TOUT LE MONDE ET S'EMPARENT DE LA TERRE.

BR..., ÇA SEMBLE EFFRAYANT... JE NE DEVRAIS PEUT-ÊTRE PAS Y ALLER... QUAND J'AI VRAIMENT PEUR, JE PERDS CONNAISSANCE!
FAIS CE QUE TU VEUX... UN BILLET, S'IL VOUS PLAÎT!

QUE FAIS-TU ICI? JE TE CROYAIS AU CINÉMA...

J'AI EU PEUR D'AVOIR PEUR, C'EST POURQUOI JE SUIS REVENUE...

IL Y A UN BON FILM QUI COMMENCE LA SEMAINE PROCHAINE... ÇA S'APPELLE «COUDES», C'EST UNE HISTOIRE DE COUDES GÉANTS QUI VEULENT ENVAHIR LA TERRE...

J'AI BIEN ENVIE DE PASSER LA SEMAINE PROCHAINE AU LIT.
SCHULZ

MONSIEUR, QUE FAITES-VOUS AU MILIEU D'UN CHAMP DE CITROUILLES?

L'HALLOWEEN S'EN VIENT, MARCIE... LINUS M'A DIT QUE LA NUIT DE L'HALLOWEEN LA «GRANDE CITROUILLE» SORT DE SON CHAMP POUR APPORTER DES CADEAUX À TOUS LES ENFANTS DU MONDE!

VOUS NE CROYEZ PAS ÇA, MONSIEUR?
IL LE FAUT BIEN, MARCIE...

J'AI UN URGENT BESOIN D'UN GANT DE BASEBALL NEUF!
SCHULZ

ALLO, LINUS? C'EST MARCIE... JAMAIS TU NE ME CROIRAS...

DEVINE QUI EST ASSISE DANS LE CHAMP DE CITROUILLES... PEPPERMINT PATTIE! TU EN AS ENFIN UN, LINUS...

UN? UN QUOI?

UN DISCIPLE!
SCHULZ

EH BIEN, PEPPERMINT PATTIE Y CROIT! EN CE MOMENT MÊME ELLE EST DANS LE CHAMP DE CITROUILLES À ATTENDRE SON ARRIVÉE!

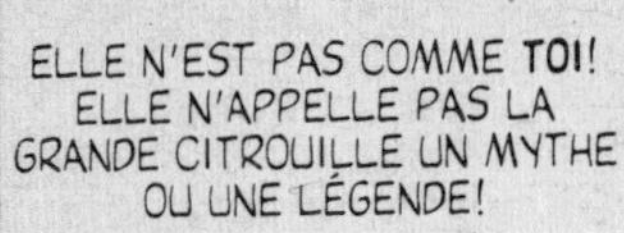

LINUS, EST-CE QUE TOI ET MOI SOMMES LES SEULS À CROIRE À LA «GRANDE CITROUILLE»?

PAS POUR LONGTEMPS! UN JOUR NOUS SERONS NOMBREUX!

UN JOUR NOUS FORMERONS UNE GRANDE ORGANISATION DE CROYANTS!

SI NOUS LANÇONS UNE CAMPAGNE DE SOUSCRIPTION, SOIS SÛR QUE JE NE LAVERAI PAS D'AUTOS!
SCHULZ

DEMAIN, C'EST L'HALLOWEEN.
DEMAIN, J'AURAI MON GANT DE BASEBALL!

TON QUOI?
MON GANT DE BASEBALL! J'AI DEMANDÉ UN NOUVEAU GANT À LA «GRANDE CITROUILLE»...

TU NE DOIS RIEN DEMANDER À LA «GRANDE CITROUILLE»! TU ATTENDS DE VOIR CE QU'ELLE T'APPORTE! TU NE SAIS DONC PAS QUE C'EST UN ÊTRE TRÈS SENSIBLE?!

TU AS FAIT LA PIRE DES CHOSES! TU AS OFFENSÉ LA «GRANDE CITROUILLE»!!!
SCHULZ

TU AS DEMANDÉ À LA «GRANDE CITROUILLE» DE T'APPORTER UN GANT DE BASEBALL?!!

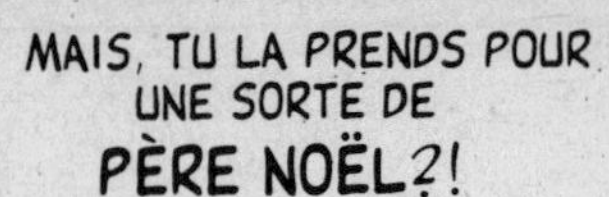

MAIS, TU LA PRENDS POUR UNE SORTE DE PÈRE NOËL?!

TU T'ES DÉSHONORÉE! TU AS OFFENSÉ LA «GRANDE CITROUILLE» ET L'ESPRIT DE L'HALLOWEEN!!!

JE SUIS BANNIE DU CHAMP DE CITROUILLES!
SOUPIR
SCHULZ

SAIS-TU CE QUI M'EST ARRIVÉ?

HIER, J'AI FÊTÉ L'HALLOWEEN TOUTE LA SOIRÉE ET TOUT CE QUE J'AI REÇU, C'EST UN CAILLOU!

J'AI PASSÉ UNE SEMAINE ASSISE DANS UN CHAMP DE CITROUILLES ET JE N'AI RIEN REÇU DU TOUT!

VEUX-TU MON CAILLOU?
SCHULZ

SURPRISE!

C'EST UN NOUVEAU GENRE DE BOL À EAU...

DIS-MOI SI TU L'AIMES?

SUPER!
SCHULZ

JE ME SUIS TOUJOURS DEMANDÉ POURQUOI LES CHIENS GOBENT LEUR NOURRITURE...

JE SUPPOSE QUE C'EST UNE HABITUDE QUI VIENT DE L'ÉPOQUE OÙ LES CHIENS ÉTAIENT SAUVAGES...

ILS DEVAIENT MANGER TRÈS VITE AVANT QUE LES AUTRES ANIMAUX NE VIENNENT LEUR VOLER LEUR NOURRITURE...

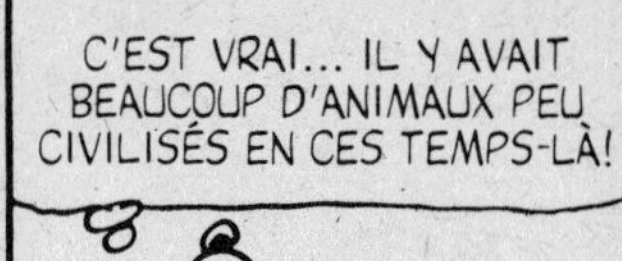
C'EST VRAI... IL Y AVAIT BEAUCOUP D'ANIMAUX PEU CIVILISÉS EN CES TEMPS-LÀ!

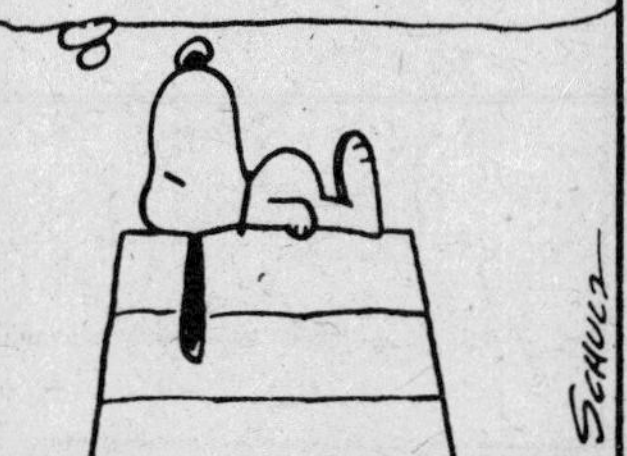
SCHULZ

TU ES CHANCEUX QUE JE TE NOURISSE...

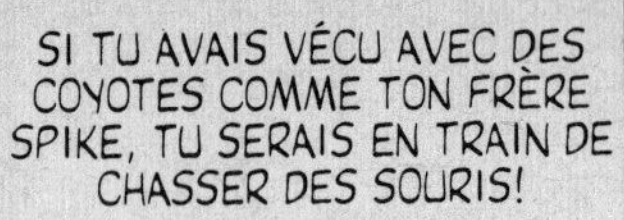
SI TU AVAIS VÉCU AVEC DES COYOTES COMME TON FRÈRE SPIKE, TU SERAIS EN TRAIN DE CHASSER DES SOURIS!

J'ADMETS QUE JE NE SUIS PAS TRÈS FORT AVEC LES SOURIS.

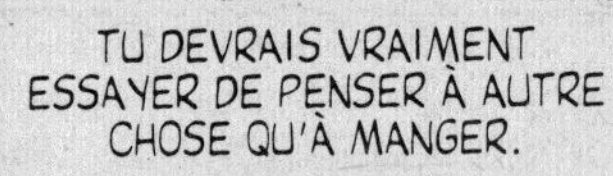
TU DEVRAIS VRAIMENT ESSAYER DE PENSER À AUTRE CHOSE QU'À MANGER.

IL A RAISON.

DORMIR EST AUSSI TRÈS IMPORTANT.

C'EST VRAI? C'EST DÉSAPPOINTANT

PAS DE PARTIE AUJOURD'HUI...

WOODSTOCK A UNE CRAMPE À L'AILE!
SCHULZ

SAVOIR QUE TU NE M'AIMES PAS ME REND FOLLE!

COMPRENDS-TU ÇA? HÉ?! COMPRENDS-TU?!!

COMPRENDS-TU ÇA?!!!

ON A SOUVENT DIT D'ELLE, «ELLE NE SAVAIT PAS SOUFFRIR EN SILENCE!»
SCHULZ

COLONEL
WOODSTOCK

JEUDI...
JE SAIS!

L'ACTION DE GRÂCES EST UN DUR MOMENT POUR ÊTRE UN OISEAU...

TU N'AS MÊME PAS À ÊTRE UNE DINDE POUR TE FAIRE MANGER!

TU POURRAIS ÊTRE UN CANARD, OU UN FAISAN OU UN JAMBON OU N'IMPORTE QUOI...

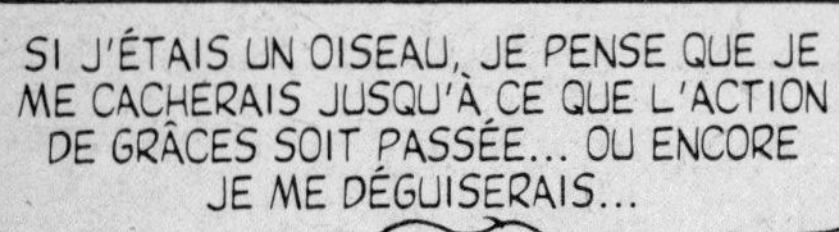
SI J'ÉTAIS UN OISEAU, JE PENSE QUE JE ME CACHERAIS JUSQU'À CE QUE L'ACTION DE GRÂCES SOIT PASSÉE... OU ENCORE JE ME DÉGUISERAIS...

!

TU AS
REÇU UNE
LETTRE DE
SPIKE...

«CHER FRÈRE, J'AI BEAUCOUP
PARLÉ DE TOI À MES AMIS
D'ARIZONA ET ILS M'ONT FAIT
UNE SUGGESTION»

POURQUOI NE VIENS-TU PAS
PASSER L'ACTION DE GRÂCES
AVEC NOUS?»

COMME C'EST
CHARMANT... UN REPAS
D'ACTION DE GRÂCES
AVEC DES COYOTES!
SCHULZ

Cher Spike,

Merci pour ton invitation
à dîner avec les coyotes
à l'Action de grâces.

Cela semble amusant.
Cependant...

Comment puis-je être
certain que les coyotes ne
vont pas ME manger?
SCHULZ

VOICI UNE AUTRE LETTRE DE SPIKE...

«CHER FRÈRE, S'IL TE PLAÎT, ESSAIE DE VENIR EN ARIZONA POUR L'ACTION DE GRÂCES»

«IL Y A UNE JOLIE PETITE COYOTE QUI NE VIT QUE POUR TE RENCONTRER... JE LUI AI BEAUCOUP PARLÉ DE TOI»

J'Y VAIS!!
SCHULZ

QU'EST-CE QUE J'ENTENDS?

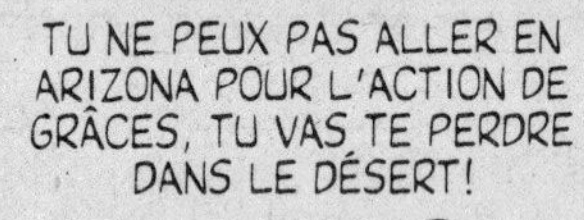
TU NE PEUX PAS ALLER EN ARIZONA POUR L'ACTION DE GRÂCES, TU VAS TE PERDRE DANS LE DÉSERT!

TU VAS T'ASSOMMER SUR UN CACTUS! ET SI TU FRAPPES TON GROS NEZ DE PATATE SUR UN CACTUS, LÀ TU AURAS DES PROBLÈMES!

QUELLE VULGARITÉ!
SCHULZ

SAIS-TU LIRE UNE CARTE?
ÉVI-DEMMENT!

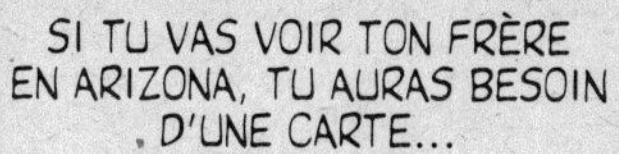
SI TU VAS VOIR TON FRÈRE EN ARIZONA, TU AURAS BESOIN D'UNE CARTE...

J'AIME LIRE LES CARTES ROUTIÈRES...

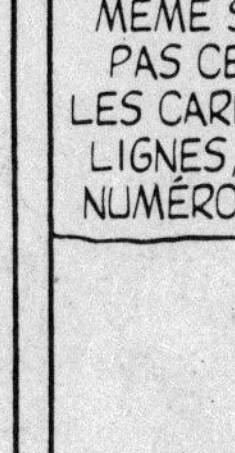

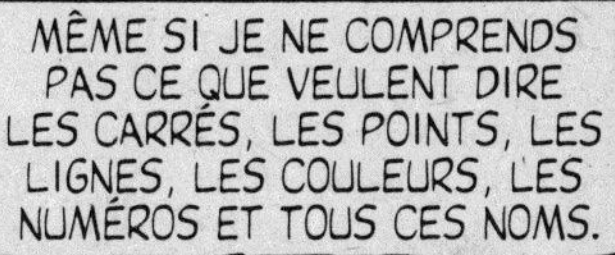
MÊME SI JE NE COMPRENDS PAS CE QUE VEULENT DIRE LES CARRÉS, LES POINTS, LES LIGNES, LES COULEURS, LES NUMÉROS ET TOUS CES NOMS.

SCHULZ

TU ES FOU, CHARLIE BROWN!

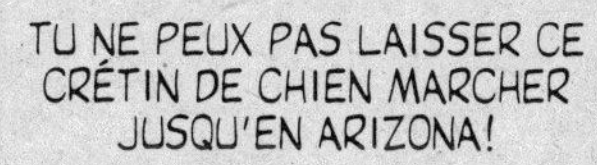
TU NE PEUX PAS LAISSER CE CRÉTIN DE CHIEN MARCHER JUSQU'EN ARIZONA!

C'EST LE DÉSERT LÀ-BAS! COMMENT VA-T-IL FAIRE POUR TRAVERSER LE DÉSERT?!

AUCUN PROBLÈME... J'AI UN VERRE D'EAU.
SCHULZ

AU REVOIR, SNOOPY... BON VOYAGE... NE RENVERSE PAS TON VERRE D'EAU.

OÙ VA-T-IL?
EN ARIZONA! IL VA PASSER L'ACTION DE GRÂCES AVEC SON FRÈRE...

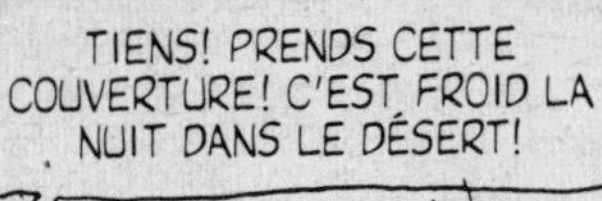
TIENS! PRENDS CETTE COUVERTURE! C'EST FROID LA NUIT DANS LE DÉSERT!

JE N'AVAIS PAS L'INTENTION DE PARTIR AUSSI VITE...
SCHULZ

TU AS DONNÉ MA COUVERTURE À SNOOPY!

IL VA EN ARIZONA, ET C'EST FROID LA NUIT DANS LE DÉSERT...

VEUX-TU QU'IL MEURE DANS LE DÉSERT?

EH MOI, VEUX-TU QUE JE **VIVE**!
SCHULZ

CE NE SERA PAS VRAIMENT L'ACTION DE GRÂCES SANS SNOOPY...
SURTOUT QUE TU N'AS PLUS DE CHIEN DE GARDE... Y AVAIS-TU PENSÉ?
QUI VA S'ASSEOIR SUR LA NICHE DE SNOOPY ET MONTER LA GARDE PENDANT SON ABSENCE?
SCHULZ
C'EST ENNUYANT, VOYAGER SEUL
HA! VOILÀ UN GROUPE D'ENFANTS DANS UN TERRAIN DE JEU!
JE PARIE QU'ILS AIMERAIENT AVOIR UN CHIEN POUR JOUER AVEC EUX...
PAS QUESTION... JE NE VEUX PAS ME FAIRE VOLER MES AFFAIRES!
SCHULZ

JE M'INQUIÈTE DE TON CHIEN IMBÉCILE, CHARLIE BROWN...

C'EST GENTIL... MOI AUSSI JE SUIS INQUIET... COMMENT VA-T-IL FAIRE POUR TRAVERSER LE DÉSERT...

OH LA LA... MES CUBES DE GLACE FONDENT...
SCHULZ

C'EST DONC ÇA LE DÉSERT...

J'AI DE LA PEINE EN PENSANT AUX PAUVRES PETITS LAPINS QUI VIVENT ICI...

SAUF POUR CELUI QUE JE VIENS DE RENCONTRER

JE LUI AI OFFERT UNE GORGÉE D'EAU, ET IL A BUT LE VERRE EN ENTIER!
SCHULZ

ME VOICI SEUL
DANS LE
DÉSERT AVEC
UN VERRE VIDE,
PAS D'EAU

TIENS,
UN CACTUS!

IL PARAÎT QU'IL Y A
DE L'EAU DANS UN
CACTUS...

JE NE
VOIS PAS LE
ROBINET!
SCHULZ

J'AI PENSÉ
À QUELQUE
CHOSE...

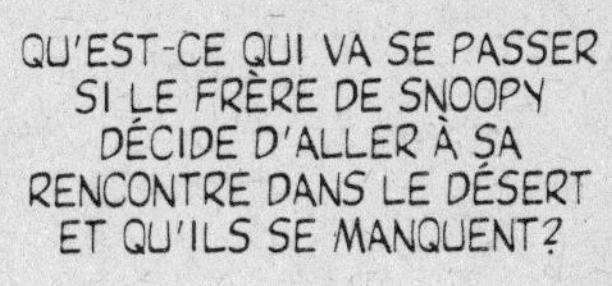
QU'EST-CE QUI VA SE PASSER
SI LE FRÈRE DE SNOOPY
DÉCIDE D'ALLER À SA
RENCONTRE DANS LE DÉSERT
ET QU'ILS SE MANQUENT?

TU AS DE
DRÔLES D'IDÉES,
CHARLIE BROWN!

SCHULZ

SPIKE!! BON DIEU! QU'EST-CE QUE TU FAIS ICI?

JE **SAVAIS** QUE ÇA ARRIVERAIT! TU ES ALLÉ À LA RENCONTRE DE SNOOPY ET VOUS VOUS ÊTES MANQUÉS!

IL EST EN ARIZONA ET TU ES ICI... TU VAS DEVOIR PRENDRE LE REPAS DE L'ACTION DE GRÂCES AVEC NOUS...

N'EST-CE PAS CURIEUX COMMENT LES CHOSES S'ARRANGENT?

TU ES SERVI, SPIKE...

C'EST TON REPAS D'ACTION DE GRÂCES... DE LA DINDE, DES POMMES DE TERRE EN PURÉE ET DE LA GELÉE DE CANNEBERGES!

JE ME DEMANDE SI MON VIEUX SNOOPY A QUELQUE CHOSE À MANGER DANS LE DÉSERT AVEC LES COYOTES...

CES GENS MANGENT DU **LAPIN**!!

QUELLE ACTION DE GRÂCES!

CES COYOTES NE SAVENT PAS VIVRE! ILS MANGENT DU LAPIN!

JE M'EN RETOURNE CHEZ MOI... OÙ UNE BONNE VIEILLE BOÎTE DE NOURRITURE POUR CHIENS M'ATTEND!

DU LAPIN! POUAH! DÉGOÛTANT!
SCHULZ

AU REVOIR, SPIKE

JE SUIS HEUREUX QUE TU AIES ÉTÉ AVEC NOUS POUR L'ACTION DE GRÂCES.

GARDE L'OEIL OUVERT! IL EST POSSIBLE QUE TU RENCONTRES SNOOPY EN CHEMIN...

POUR MOI, TOUS LES BEAGLES SE RESSEMBLENT!
SCHULZ

BIENVENUE À LA MAISON! OÙ EST MA COUVERTURE?
COUVERTURE?

NE ME DIS PAS QUE TU L'AS LAISSÉE DANS LE DÉSERT?!
HÉLAS!

COMMENT FAIRE POUR LA RETROUVER? JE NE SAIS MÊME PAS OÙ CHERCHER! JE NE SAIS MÊME PAS DANS QUEL DÉSERT TU ES ALLÉ!

COMMENCE PAR LE SAHARA, APRÈS TU VERRAS
SCHULZ

JE TE PRÉVIENS, IMBÉCILE DE BEAGLE!!

TU FAIS MIEUX DE TE SOUVENIR OÙ TU AS MIS MA COUVERTURE PARCE QUE ÇA VA ALLER MAL!

COMMENT PUIS-JE M'INTÉRESSER À SA COUVERTURE ALORS QUE JE TRAVAILLE À MON NOUVEAU MANUEL DE TENNIS?

Comment s'en sortir après onze fautes de pieds consécutives
SCHULZ

JE ME SUIS DEMANDÉ QUELQUE CHOSE...

JE ME SUIS DEMANDÉ SI TU AVAIS RENCONTRÉ LA JOLIE PETITE COYOTE DONT SPIKE PARLAIT...

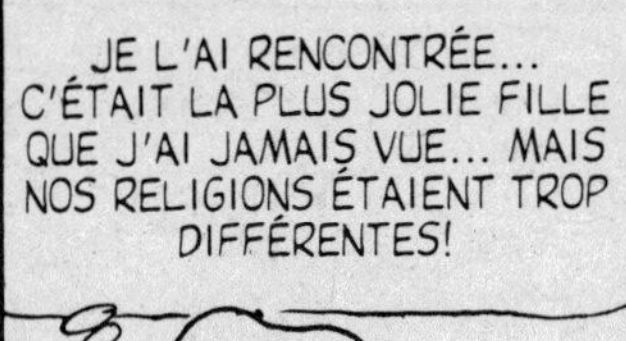
JE L'AI RENCONTRÉE... C'ÉTAIT LA PLUS JOLIE FILLE QUE J'AI JAMAIS VUE... MAIS NOS RELIGIONS ÉTAIENT TROP DIFFÉRENTES!

ELLE MANGEAIT DU LAPIN!

JE NE COMPRENDS PAS TOUTE CETTE HISTOIRE DE COUVERTURE, LINUS...

QU'EST-CE QUI SE PASSE QUAND TU N'AS PAS TA COUVERTURE, COMME AUJOURD'HUI?
TU SOUFFRES ET TU CHERCHES UN REMPLACEMENT...

QUAND TU TE SENS SOUDAINEMENT INQUIET, TON POUCE SAUTE VERS TA BOUCHE ET TU ATTRAPES CE QUI TE TOMBE SOUS LA MAIN...

SI JE NE RETROUVE PAS MA COUVERTURE, JE VAIS TE POURSUIVRE EN JUSTICE!

PARFAIT! JE SERAI MON PROPRE AVOCAT! «LES AVOCATS OCCUPENT UNE PLACE DE CHOIX DANS NOS SOCIÉTÉS MODERNES»

«NE JAMAIS JETER LES CITATIONS À COMPARAÎTRE DANS LES ÉGOUTS»! «SANS LA PROPRIÉTÉ PRIVÉE, IL NE SAURAIT Y AVOIR DE LIBERTÉ!»

LE MARCHANDAGE NE TE SAUVERA PAS!
TIENS, C'EST UNE PREMIÈRE!
SCHULZ

BONNE NOUVELLE, LINUS!

UN ENVOI SPÉCIAL DE SPIKE...

IL A TROUVÉ TA COUVERTURE EN TRAVERSANT LE DÉSERT!

ÇA VA DONNER DU PIQUANT À MA VIE... UNE COUVERTURE PLEINE D'ÉPINES DE CACTUS!
SCHULZ

VA À LA CUISINE ME CHERCHER UN PLAT DE CRÈME GLACÉE
DIS «S'IL TE PLAÎT»!

J'AIME MIEUX MOURIR QUE DE DIRE «S'IL TE PLAÎT»!!

TIENS...

TU N'AS PAS DIT «MERCI»

J'AIME AUTANT MOURIR!!!

JE SUIS FATIGUÉ... JE VAIS ME COUCHER.

TU N'AS PAS DIT «BEAUX RÊVES»

SCHULZ

JE N'IRAI PLUS JAMAIS ME BAIGNER DANS L'OCÉAN!
?

OUF!

THÉÂTRE
DE
MARIONNETTES
«LES DENTS»
EXCITANT!
TERRIFIANT!

QU'Y A-T-IL DE SI TERRIFIANT DANS CE SPECTACLE?

JE NE VOIS RIEN D'EXCITANT NON PLUS!

JE CROYAIS QUE CE SPECTACLE ME FERAIT PEUR...

TU ME DIRAS QUAND JE DOIS AVOIR PEUR?

JE NE CONNAIS RIEN AU FOOTBALL, MONSIEUR

C'EST FACILE, MARCIE... JE M'ÉLOIGNE POUR RECEVOIR TA PASSE. TU N'AS QU'À ME LANCER LE BALLON

BONG!

LAISSE-MOI M'ÉLOIGNER UN PEU PLUS MARCIE!

J'AI FAIT DE LA RECHERCHE SUR LE FOOTBALL, MONSIEUR...

QUAND VOUS M'AVEZ DEMANDÉ DE JOUER, JE N'Y CONNAISSAIS RIEN DU TOUT.

MAINTENANT, C'EST DIFFÉRENT...

JE SUIS PRÊTE À ALLER SUR LE TERRAIN BOTTER CETTE VIEILLE PEAU DE COCHON!

J'AI PEUR DE L'ENVOYER TROP LOIN, MONSIEUR!

QU'EST-CE QUE JE FAIS SI ON ME DÉCOUVRE DES TALENTS, SI JE DEVIENS PROFESSIONNELLE ET QUE JE JOUE DANS LA FINALE DE LA COUPE GREY? QU'EST-CE QUE JE FAIS DE L'ÉCOLE?

TAIS-TOI ET LANCE LE BALLON, MARCIE!

NE SOYEZ PAS IMPATIENT AVEC MOI, MONSIEUR...
SCHULZ

AVANT DE TE BOTTER, BALLON, JE VEUX M'EXCUSER...

JE VEUX QUE TU SACHES QUE JE NE T'EN VEUX PAS, QUE JE NE VEUX NI TE FAIRE MAL NI TE BLESSER, ET QUE...

LANCE LE BALLON, MARCIE!!

PATIENCE, MONSIEUR! IL Y A DES CHOSES QUI DOIVENT ÊTRE DITES!
SCHULZ

TRÈS BIEN, MONSIEUR! LE VOICI!

RECULEZ! LEVEZ LA TÊTE! ÊTES-VOUS PRÊTS? ALLONS-Y! C'EST PARTI!

MARCIE VAS-TU TE DÉCIDER À BOTTER CE BALLON?!!

SANS PRÉAMBULE?

DONNE-MOI CE BALLON, MARCIE!

JE NE VAIS PAS PASSER LE RESTE DE MA VIE LÀ À ATTENDRE QUE TU TE DÉCIDES!

VROUM!
?!

C'ÉTAIT UNE RUSE N'EST-CE PAS, MONSIEUR?

JE N'AI PAS ENTENDU LA QUESTION, MADAME...

QUE ME RAPPELLE 1066?

BIEN, ÇA DÉPEND...

QU'EST-CE QUE C'EST? UNE ANNÉE OU UNE ADRESSE?
SCHULZ

JOYEUX ANNIVERSAIRE DE BEETHOVEN!

JE T'AI APPORTÉ UN PETIT CADEAU...

MERCI BEAUCOUP... C'EST CE QUE JE VOULAIS AVOIR...

DES LUNETTES ELTON JOHN!
SCHULZ

Z

EH! JOLIE FILLE! VEUX-TU SAVOIR QUELQUE CHOSE?
Z

JE TE TROUVE TRÈS MIGNONNE! À DIRE VRAI, TU ME FASCINES!
Z

TU M'AS TOUJOURS FASCINÉ... J'AIME TES CHEVEUX, TES YEUX, TA FAÇON DE PARLER... EN FAIT J'AIME TOUT CE QUE TU FAIS... BEAU TRÉSOR!
Z

HA! HA! JE SAVAIS QUE TU NE DORMAIS PAS!

ZUT!
SCHULZ

VOICI QUELQUE CHOSE POUR TE FAIRE RÉFLÉCHIR...

ESSAIE D'IMAGINER LA SCÈNE...

TOI ET MOI SOMMES DE NOUVEAUX MARIÉS
TU VOIS, TU AS ÉTÉ INVITÉ À MOSCOU POU
PARTICIPER À UN CONCOURS DE PIANO...

TU JOUES MERVEILLEUSEMENT, MAIS TU PERDS! QUAND LES JOURNALISTES TE DEMANDENT TES IMPRESSIONS, TU RÉPONDS TRÈS CALMEMENT...

«ÇA M'EST ÉGAL DE PERDRE, CAR JE VIENS D'ÉPOUSER LA FILLE LA PLUS EXTRAORDINAIRE AU MONDE ET ELLE VAUT TOUTES LES VICTOIRES!»

HA HA HA HA HA HA

SOUPIR
SCHULZ

JE PENSE ALLER
EN AUTRICHE POUR LES
OLYMPIQUES CETTE ANNÉE...

S'ILS M'INVITENT
TRÈS GENTIMENT.
SCHULZ

J'AI
APPELÉ
LE COMITÉ
OLYMPIQUE.

TU NE PEUX PAS PARTICIPER
AUX COMPÉTITIONS PARCE QUE
TU NE RÉPONDS À AUCUNE
DE LEURS EXIGENCES!

JE SUIS BEAU!!
SCHULZ

DEPUIS LES DÉBUTS DE L'HUMANITÉ, JAMAIS ON N'A VU LE PÈRE NOËL METTRE QUELQUE CHOSE DANS LE BAS DE NOËL D'UN OISEAU...

MAIS ÇA NE DÉCOURAGE PAS WOODSTOCK...

IL DIT QUE LA CHANCE EST DE SON CÔTÉ!
SCHULZ

L'ORANGE ÉTAIT UNE BONNE IDÉE, N'EST-CE PAS?

J'AI PENSÉ QU'EN METTANT UNE ORANGE DANS LE BAS DE WOODSTOCK, TU LUI FERAIS PLAISIR...

JE SUIS CONTENT QUE TU AIES TROUVÉ QUE L'ORANGE ÉTAIT UNE BONNE IDÉE.
SCHULZ

L'ORANGE ÉTAIT UNE BONNE IDÉE... JUSQU'À CE QUE JE LA MANGE!

REGARDE CETTE PHOTO DU PÈRE NOËL... IL EST BEAUCOUP TROP GRAS!

JE NE PEUX PAS CROIRE QU'IL PUISSE DESCENDRE ET REMONTER TANT DE CHEMINÉES SANS PERDRE UN PEU DE POIDS...

SAIS-TU CE QUI VA ARRIVER? UN DE CES JOURS IL FERA UNE CRISE CARDIAQUE DANS LE SALON D'UN ENFANT!

CESSE DE T'EN FAIRE... JOYEUX NOËL.
ÇA POURRAIT ÊTRE **NOTRE** SALON!

TU TE SOUVIENS DE TRUFFE?
QUELLE QUESTION!

EH BIEN, ELLE M'A ENVOYÉ UNE CARTE DE NOËL! ÇA PROUVE QU'ELLE M'AIME!

JE SUIS CERTAIN QUE TRUFFE NE T'A RIEN ENVOYÉ.

EN PARTANT NE TRÉBUCHE PAS SUR MON NOUVEAU BOL À EAU EN ARGENT MASSIF!

J'ESSAIE D'IMAGINER UN OBJET QUE JE VENDRAI AUX FÊTES DU CENTENAIRE DE LA MORT DE LOUIS RIEL ET QUI ME PERMETTRA DE FAIRE UN MILLION DE DOLLARS...

AIMES-TU ÇA? ÇA REPRÉSENTE LOUIS RIEL, UN MÉTIS, UNE POLICE MONTÉE ET SON OMBRE JOUANT EN DOUBLE AU TENNIS!

DES RÉPLIQUES EXACTES DES BALLES DE NEIGE QUE LA POLICE MONTÉE A LANCÉES AUX MÉTIS À FISH CREEK À L'HEURE DU THÉ!

EN VOICI UNE QUI A ENCORE DE LA CONFITURE DESSUS!

SCHULZ

Résumé de lecture-
"Le nez qui voque"
par Ben Hur.

«LE NEZ QUI VOQUE» A ÉTÉ ÉCRIT PAR RÉJEAN DUCHARME.
BEN HUR DE SON VRAI NOM!

QUI EST L'AUTEUR DE BEN HUR?
SA MAMAN ET SON PAPA!

HA HA HA HA
SCHULZ

Devoir de littérature
"Mes citations préférées"

Ma citation préféreé est "Modère tes transports"!

C'est une phrase utile. Elle sert en toute circonstance.

BONTÉ DIVINE!
MODÈRE TES TRANSPORTS!!
SCHULZ

BONNE ANNÉE!
BRAVO!
BONNE ANNÉE!

VRAIMENT? MON DIEU, CE QUE C'EST GÊNANT!

LES GENS DU NID D'EN DESSOUS SE PLAIGNENT DU BRUIT!
SCHULZ

C'EST À CETTE HEURE QUE TU REVIENS DE LA FÊTE DE WOODSTOCK?

TU ES TOUT TREMPÉ!

TU SAIS COMMENT ÇA SE PASSE...

ON COMMENCE PAR POUSSER UNE PERSONNE DANS LA PISCINE... PUIS C'EST LE TOUR D'UNE AUTRE...
SCHULZ

TU AS MANGÉ TRENTE PIZZAS?

À TOUTES LES FOIS QUE TU VAS À UNE FÊTE CHEZ WOODSTOCK, TU REVIENS MALADE...

QU'EST-CE QUI T'A PRIS DE MANGER TRENTE PIZZAS?

BIEN, NOUS ÉTIONS ASSIS CALMEMENT LORSQUE QUELQU'UN A PARLÉ DU «LIVRE DES RECORDS»...
SCHULZ

CINQUANTE-QUATRE BIÈRES D'ÉPINETTE?

TU AS BU CINQUANTE-QUATRE BIÈRES D'ÉPINETTE À LA FÊTE DU JOUR DE L'AN CHEZ WOODSTOCK?

«BOIRE» N'ÉTAIT PAS LE MOT QU'ILS EMPLOYAIENT... QU'EST-CE QUE C'ÉTAIT DÉJÀ...
AH, OUI... **CUL-SEC!**
SCHULZ

QUE QUELQU'UN M'ACHÈVE ET QU'ON N'EN PARLE PLUS!

BLAH!

POURQUOI EST-CE QUE JE VAIS FÊTER LE JOUR DE L'AN CHEZ WOODSTOCK? JE ME SENS MAL!

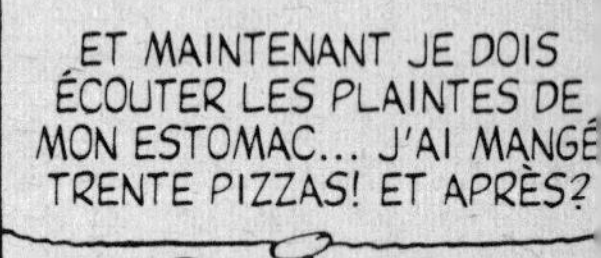
ET MAINTENANT JE DOIS ÉCOUTER LES PLAINTES DE MON ESTOMAC... J'AI MANGÉ TRENTE PIZZAS! ET APRÈS?

OÏE! C'EST LE TOUR DE MA TÊTE!
QU'Y A-T-IL DE MAL À BOIRE CINQUANTE-QUATRE BIÈRES D'ÉPINETTE?

JE SAVAIS QUE MES PIEDS SERAIENT LES SUIVANTS...

J'AI SEULEMENT DANSÉ JUSQU'À CINQ HEURES DU MATIN...

DES PLAINTES, DES PLAINTES ET DES PLAINTES!

LA PROCHAINE FOIS QUE JE SORS, JE LES LAISSE TOUS À LA MAISON!

GRUSKLX
!!!
RSGHL

GROAR GROFFLLLF RAGFFL!
C'EST MAUVAIS, ENTRAÎNEUR?

HMG
GRFFL!
C'EST AFFREUX?

C'EST MOCHE?
RARGHI xxxx GRAUG!

OGRUGH! GRAFF! RARRG!
ÇA, C'EST PIRE?

ET ALORS?

MIOUM!

C'ÉTAIT BON?
SCHULZ

?

C'EST DU PAIN DORÉ... ESSAIE... TU N'AS PAS À AVOIR PEUR.

IL Y A PEUT-ÊTRE UN PETIT PROBLÈME.

LE SIROP D'ÉRABLE PEUT TE COLLER AUX PIEDS...

JE N'AIME PAS ÊTRE UNE INCONNUE.
J'AIMERAIS ÊTRE UNE VEDETTE DE CINÉMA.
SI J'ÉTAIS UNE VEDETTE DE CINÉMA, JE N'AURAIS PAS BESOIN D'ALLER À L'ÉCOLE...
MOI, PETITE, J'AIMERAIS ÊTRE LA CHAPELLE SIXTINE...
SCHULZ
JE NE SUIS QU'UNE ÉCOLE ORDINAIRE...
QUAND J'ÉTAIS JEUNE, JE RÊVAIS D'ÊTRE UNE ACADÉMIE D'ART OU UN CONSERVATOIRE DE MUSIQUE...
LES TOURISTES NE VIENNENT PAS ME VISITER... JE SUIS BIEN TROP ORDINAIRE...
JE N'AI MÊME JAMAIS ÉTÉ SUR UNE CARTE POSTALE!
SCHULZ

TU NE DEVRAIS PAS AVOIR HONTE D'ÊTRE UNE ÉCOLE...
PENSE À TOUT CE QUE TU FAIS POUR LA SOCIÉTÉ...
JE PENSE QUE JE SUIS UN PEU DÉPRIMÉE.
C'EST L'ODEUR DU BEURRE D'ARACHIDE QUI ME TAPE SUR LES NERFS!
SCHULZ
LES REVOICI, AVEC LEURS SANDWICHES DE BEURRE D'ARACHIDE...
QUE C'EST DÉPRIMANT! LE PRINCIPAL DIT QUE JE N'AI PAS ASSEZ DE LOCAUX... LES PROFS DISENT QUE JE SUIS FROIDE...
L'INSPECTEUR DES BÂTIMENTS ME CRITIQUE... LE CONCIERGE ME DÉTESTE... JE SUIS VRAIMENT DÉPRIMÉE...
J'AIMERAIS PLEURER, MAIS J'AI PEUR DE BARBOUILLER MES VITRES!
SCHULZ

«UNE ÉCOLE S'ÉCROULE PENDANT LA NUIT!» MISÈRE!

PRENDS TON TEMPS POUR TE LEVER, SALLY... NOTRE ÉCOLE S'EST EFFONDRÉE CETTE NUIT! ÉCOUTE ÇA...

JE N'EN POUVAIS PLUS!
SCHULZ

ÉCOLE!
ÉCOLE!
ÉCOLE!

POURQUOI AS-TU FAIT ÇA?!! MAIS POURQUOI?!!

NOTRE PAUVRE ÉCOLE... DES CHOSES COMME ÇA NE DEVRAIENT PAS ARRIVER... UNE SI BELLE ÉCOLE... MAINTENANT ELLE EST EN RUINE!

QUELQU'UN VA-T-IL AIMER MES RUINES?
SCHULZ

TU SAIS CE QUI ARRIVE?

NOUS DEVONS TRAVERSER LA VILLE POUR ALLER À UNE AUTRE ÉCOLE PARCE QUE TU NOUS A LAISSÉS TOMBER!

ÇA VA ÊTRE BIZARRE D'ÊTRE DANS UNE AUTRE ÉCOLE... JE ME DEMANDE SI JE VAIS L'AIMER...

JE CONNAIS L'ÉDIFICE... C'EST UN VÉTÉRAN... IL A DE BONNES FONDATIONS...
SCHULZ

CHUCK! QUE FAIS-TU À MA PLACE?!

NOTRE ÉCOLE S'EST ÉCROULÉE, ALORS NOUS DEVONS VENIR À TON ÉCOLE POUR UN BOUT DE TEMPS...

NOUS ALLONS ÊTRE ENSEMBLE? SUPER! UN À CÔTÉ DE L'AUTRE?

TENEZ-VOUS BIEN AUJOURD'HUI, MADAME! VOUS AVEZ AFFAIRE À UNE FAMEUSE ÉQUIPE!!
SCHULZ

C'EST COMME ÇA QUE ÇA VA MARCHER, CHUCK...

QUANT À ÊTRE ASSIS ENSEMBLE, AUSSI BIEN TRAVAILLER EN ÉQUIPE...

!

TON BRAS TOUCHE MON BRAS, CHUCK!
SCHULZ

RÉSUMÉ DE LECTURE

AU FAIT... JE M'APPELLE SALLY ET J'ALLAIS À CETTE ÉCOLE QUI S'EST SUICIDÉE HIER...

MADA'AAME?

BIEN, JE SAIS DE SOURCE SÛRE QU'ELLE ÉTAIT DÉPRIMÉE DEPUIS QUELQUES SEMAINES!
SCHULZ

HÉ, TOI!

C'EST TOI LA TOQUÉE QUI PARLE AUX ÉCOLES?

DISPARAIS, FACE À CLAQUE, PARCE QUE JE VAIS T'ÉTAMPER!!

COMME JE LE DISAIS, C'ÉTAIT UNE BONNE ÉCOLE ET ELLE AVAIT UNE HAUTE OPINION DE VOUS.
JE SUIS HEUREUSE DE L'ENTENDRE.
SCHULZ

SI TU SAIS UNE RÉPONSE QUE JE NE SAIS PAS, TU ME LA SOUFFLES, CHUCK

SI JE SAIS UNE RÉPONSE QUE TU NE SAIS PAS, JE FERAI LA MÊME CHOSE. PARFAIT!

ET SI AUCUN DE NOUS DEUX NE SAIT LA RÉPONSE?

ON IMPROVISE!
SCHULZ

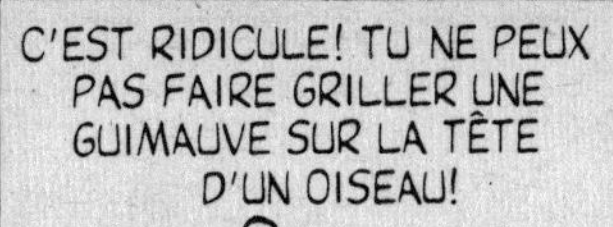
C'EST RIDICULE! TU NE PEUX PAS FAIRE GRILLER UNE GUIMAUVE SUR LA TÊTE D'UN OISEAU!

TU PEUX, S'IL A LA FIÈVRE!
SCHULZ

LA TÊTE DE WOODSTOCK EST ENCORE CHAUDE...

IL DOIT AVOIR DES VAPEURS.

PAUVRE PETIT OISEAU...

LES VAPEURS SONT-ELLES CONTAGIEUSES?
SCHULZ

TON AMI A LA
TÊTE CHAUDE?
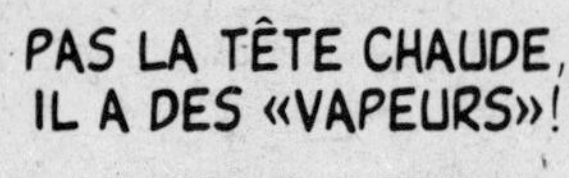
PAS LA TÊTE CHAUDE,
IL A DES «VAPEURS»!

JE COMPRENDS
MAINTENANT POURQUOI LE
TEMPS DE VISITE DANS LES
HÔPITAUX EST SI COURT!

IL PARAÎT
QUE TON AMI
A DES VAPEURS!

TU PRENDS UNE GROSSE
CHANCE EN LE SOIGNANT TOI-
MÊME! SI QUELQUE CHOSE
TOURNE MAL, IL POURRAIT TE
POURSUIVRE!

ME POURSUIVRE?! WOODSTOCK
NE FERAIT PAS ÇA!

ES-TU SÛR QU'IL A ASSEZ CHAUD?

QUAND UNE PERSONNE EST MALADE, IL FAUT LA GARDER BIEN AU CHAUD... JE VAIS LUI CHERCHER UNE ROBE DE CHAMBRE!

J'ESPÈRE QU'ELLE NE LUI APPORTERA PAS UNE PIPE!

HUMM... LA FIÈVRE SEMBLE PARTIE.

MAIS ON NE SAURA PAS SI TU ES GUÉRI TANT QUE TU N'AURAS PAS ESSAYÉ DE VOLER...

ÉVIDEMMENT, ON NE GUÉRIT PAS DES VAPEURS EN UNE NUIT...

BONJOUR!

JE VOUS PARLERAI AUJOURD'HUI DE L'INDIANA...

POURQUOI CET ÉTAT S'APPELLE-T-IL INDIANA? JE VAIS VOUS LE DIRE!

C'EST PARCE QUE C'EST DE LÀ QUE LES INDIENS SONT VENUS!
SCHULZ

POUR MON EXPOSÉ D'HISTOIRE NATURELLE, JE VOUS AI APPORTÉ MA ROCHE PORTE-BONHEUR...

MA ROCHE PORTE-BONHEUR EST UNE GRANDE VOYAGEUSE... SON COIN PRÉFÉRÉ EST LE «ROCHER PERCÉ»!

HA HA HA HA

VOUS AVEZ UNE CLASSE D'ENGOURDIS, MADA'AAME.
SCHULZ

FAUX? POURQUOI AS-TU ÉCRIT FAUX, CHUCK?

LA RÉPONSE EST «VRAI»! ÉCRIS «VRAI», CHUCK! CE QUI EST VRAI EST VRAI! ÉCRIS «VRAI», CHUCK, SINON JE NE TE PARLE PLUS JAMAIS!

MADA'AAME? OH, NON, MADA'AAME, ELLE NE ME DONNE PAS LES RÉPONSES...

ELLE ME LES **IMPOSE**, MAIS ELLE NE ME LES DONNE PAS!
SCHULZ

?
Z

Z

NON, MADA'AAME... JE N'AI PAS ENTENDU LA QUESTION...
Z

JE PENSE QU'IL Y AVAIT UN AVION QUI PASSAIT, OU QUELQUE CHOSE...
Z
SCHULZ

J'ESPÈRE QU'ILS VONT VITE REBÂTIR NOTRE ÉCOLE...

SI JE CONTINUE À PARTAGER UN PUPITRE AVEC PEPPERMINT PATTIE, JE VAIS RETOURNER AU JARDIN D'ENFANCE!

POURQUOI NE LUI DIS-TU PAS QUE TU NE VEUX PLUS T'ASSEOIR AVEC ELLE?

SI ELLE SE FÂCHAIT ET QU'ELLE TE FRAPPAIT ASSEZ FORT, TU N'AURAIS PLUS BESOIN D'ALLER À L'ÉCOLE!
SCHULZ

LA RÉPONSE EST SIX!
TROIS!

TU M'AS CONTREDITE, CHUCK! TU M'AS RIDICULISÉE DEVANT TOUTE LA CLASSE!

«SIX» N'ÉTAIT PAS LA BONNE RÉPONSE... JE **DEVAIS** DIRE «TROIS»

TU NE M'AIMES PAS, N'EST-CE PAS, CHUCK?
SCHULZ

POUSSE TON COUDE, CHUCK... IL EST DANS MON CHEMIN.
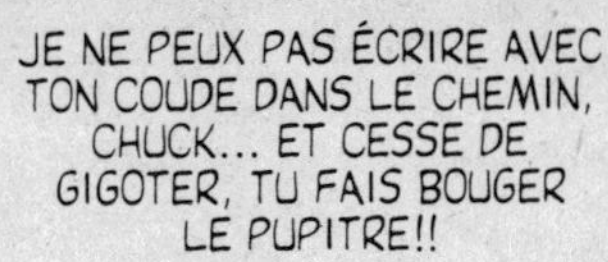
JE NE PEUX PAS ÉCRIRE AVEC TON COUDE DANS LE CHEMIN, CHUCK... ET CESSE DE GIGOTER, TU FAIS BOUGER LE PUPITRE!!

SOUPIR
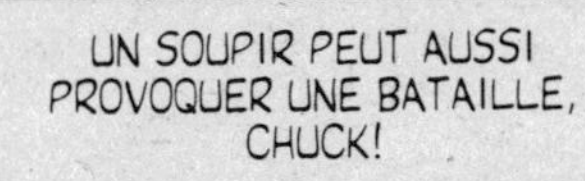
UN SOUPIR PEUT AUSSI PROVOQUER UNE BATAILLE, CHUCK!

SCHULZ

POUSSE-TOI, CHUCK... TU PRENDS TROP DE PLACE!

CLONC!

JE REGRETTE, MADAME...

MON PARTENAIRE DE PUPITRE MANQUE DE COORDINATION...

SCHULZ

NE MÂCHOUILLE PAS TON CRAYON, CHUCK... ÇA M'ÉNERVE!

CESSE DE TAPER TES DOIGTS SUR LE PUPITRE, TU VAS ME RENDRE FOLLE!

SOUPIR

NE ME CASSE PAS LES OREILLES AVEC TES SOUPIRS, CHUCK!

MANGEZ VOTRE DÎNER, MONSIEUR
JE SUIS DE MAUVAISE HUMEUR, MARCIE!

JE NE SUIS PLUS CAPABLE DE PARTAGER MON PUPITRE AVEC CHUCK! ET LE PIRE, C'EST QUE JE L'AIME...

?
!
POP!

MA «BAGUE DE SENTIMENT» VIENT D'EXPLOSER!

NE RESPIRE PAS SI FORT, CHUCK!

NE LÈCHE PAS TES DOIGTS POUR TOURNER LES PAGES, CHUCK, ET NE FROTTE PAS TES SOULIERS SUR LA CHAISE...

VEUX-TU ARRÊTER DE ME CRITIQUER?!

TU M'AS ENCORE MISE DANS UN BEAU PÉTRIN, CHUCK!
BUREAU DU PRINCIPAL
SCHULZ

OUI, CHER MONSIEUR LE PRINCIPAL.

VOUS VOULEZ QUE NOUS ÉCRIVIONS CENT FOIS «JE NE SÈMERAI PAS LE DÉSORDRE EN CLASSE»?

SAVEZ-VOUS MONSIEUR QUE BEAUCOUP D'ÉDUCATEURS CROIENT QUE C'EST UNE TRÈS MAUVAISE FAÇON DE PUNIR LES ÉLÈVES?

OH, NON, MONSIEUR... JE NE ME PLAINS PAS... C'EST BIEN MIEUX QU'UNE TALOCHE!
SCHULZ

Je ne sèmerai pas le désordre en classe.

TU AS ENCORE DÉSHONORÉ NOTRE FAMILLE, À CE QUE JE VOIS...

CE N'EST PAS DRÔLE, TU SAIS, D'AVOIR UN FRÈRE CRIMINEL...

QUAND JE ME MARIERAI ET QUE J'AURAI DES ENFANTS, J'ESPÈRE QU'ILS N'HÉRITERONT PAS DE TES TENDANCES CRIMINELLES!
SCHULZ

Je ne sèmerai pas le désaudre en classe.

SALUT CHUCK... COMMENT ÇA VA AVEC TES CENT PHRASES? MOI J'EN AI DÉJÀ SIX DE FAITES...

J'AI FINI LES MIENNES JUSTE APRÈS SOUPER.

JE TE DÉTESTE, CHUCK!
SCHULZ

Je ne sèmerai pas le désaudre en classe.

TU NE VEUX PAS M'AIDER À FAIRE MES CENTS PHRASES, MARCIE?

CE SERAIT MALHONNÊTE, MONSIEUR... ACCEPTEZ VOTRE PUNITION CELA VOUS RENDRA MEILLEUR...

DIS-PARAIS, MARCIE!
J'AI OUBLIÉ DE VOUS DIRE QUE VOUS AVEZ MAL ÉCRIT «DÉSORDRE» À CHAQUE FOIS, MONSIEUR...
SCHULZ

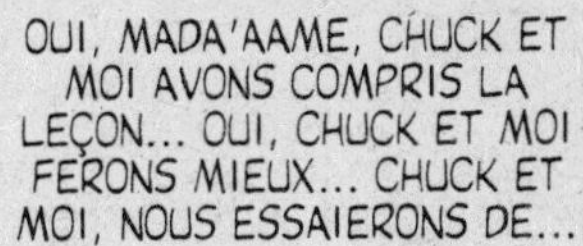
OUI, MADA'AAME, CHUCK ET MOI AVONS FINI NOS CENT PHRASES.
OUI, MADA'AAME, CHUCK ET MOI AVONS COMPRIS LA LEÇON... OUI, CHUCK ET MOI FERONS MIEUX... CHUCK ET MOI, NOUS ESSAIERONS DE...

JE PEUX PARLER POUR MOI-MÊME!!

C'EST BIEN PARTI, CHUCK!
BUREAU DU PRINCIPAL
SOUPIR
SCHULZ

LA SOUPE EST PRÊTE!!

AAAAAH!

QU'EST-CE QU'IL A? IL S'EST FAIT MAL AU PIED?
IL ÉTAIT AFFAMÉ... IL A TRÉBUCHÉ SUR SON BOL DE NOURRITURE...
JE MEURS!

C'EST TOUJOURS PAREIL... LES FAUTES DE L'ESTOMAC RETOMBENT SUR LES PIEDS!
AH, LA FERME!
SCHULZ

BONTÉ DIVINE! QU'EST-CE QUI T'EST ARRIVÉ?

EH BIEN, C'EST À CAUSE DE CES TROIS HÔTESSES DE L'AIR DONT LES CHEVAUX S'ÉTAIENT EMBALLÉS, ET J'AI DÛ ALLER LES SAUVER...

IL PARAÎT QUE TU AS TRÉBUCHÉ SUR TON PLAT...

DÈS QUE JE RECEVRAI MES BÉQUILLES, JE VAIS ME METTRE À FRAPPER DES GENS!
SCHULZ

REGARDE!

JE T'AI TROUVÉ DES BÉQUILLES!

HUMM...

J'AI L'IMPRESSION QUE J'AURAI BESOIN DE PRATIQUE!
SCHULZ

TU NE TE SERS PAS DE TES BÉQUILLES?

ÇA NE T'A PAS AIDÉ?

OH OUI, ÇA M'A BEAUCOUP AIDÉ... J'AI FAIT UNE CHOSE DONT JE RÊVAIS DEPUIS LONGTEMPS...

JE LES AI LANCÉES AU CHAT DU VOISIN!
SCHULZ

HÉ, CHAT STUPIDE!

RETOURNE-MOI MES BÉQUILLES!

SCHULZ

LES VOISINS M'ONT DEMANDÉ DE TE FAIRE UN MESSAGE.

ILS VEULENT SAVOIR SI TU ACCEPTERAIS UNE CARTE DE PROMPT RÉTABLISSEMENT DE LEUR CHAT...

CERTAINEMENT... IL EST TRÈS AIMABLE!

BANG!
SCHULZ

VEUX-TU MON AUTOGRAPHE SUR TON PLÂTRE?
AH, MISÈRE!

JE NE VEUX AUCUN NOM SUR CET HORRIBLE PLÂTRE!

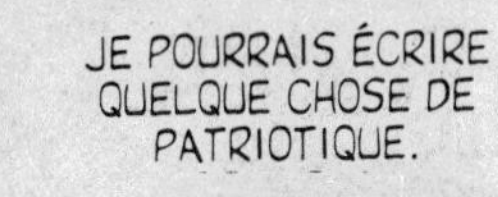
JE POURRAIS ÉCRIRE QUELQUE CHOSE DE PATRIOTIQUE.

SI J'ÉTAIS CERTAIN D'AVOIR LA RAGE, JE LA MORDRAIS!
SCHULZ

TON DOCTEUR VIENT DE TÉLÉPHONER.
DU TERRAIN DE GOLF, JE SUPPOSE?

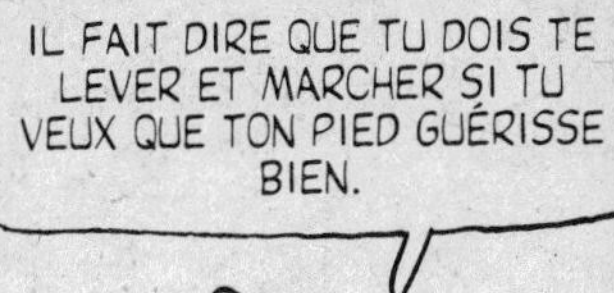
IL FAIT DIRE QUE TU DOIS TE LEVER ET MARCHER SI TU VEUX QUE TON PIED GUÉRISSE BIEN.

C'EST POUR ÇA QU'IL T'A FAIT UN PLÂTRE POUR MARCHER.

QU'EST-CE QU'IL Y CONNAÎT?
SCHULZ

QUAND JE ME SUIS BLESSÉ J'ÉTAIS TRÈS INQUIET

J'AI PRESQUE PRIS PANIQUE...

MAIS MAINTENANT J'AI DÉCOUVERT QUE JE M'EN FAISAIS POUR RIEN...

JE PEUX MANGER SUR UN SEUL PIED!
SCHULZ

LA PLUPART DU TEMPS MON PIED VA BIEN...

MAIS DE TEMPS EN TEMPS, CEPENDANT, IL...

... ME DÉMANGE!!!
SCHULZ

TON DOCTEUR A ENCORE APPELÉ.

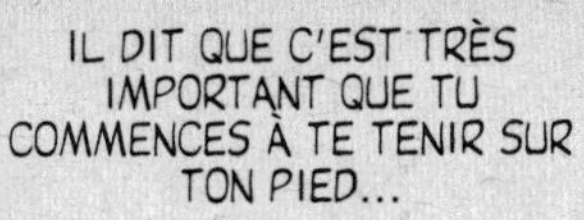
IL DIT QUE C'EST TRÈS IMPORTANT QUE TU COMMENCES À TE TENIR SUR TON PIED...

JE TE SUGGÈRE DE L'ÉCOUTER!

JE ME SENS COMME UNE GIROUETTE!
SCHULZ

HÉ, CHAT STUPIDE!

VIENS PRÈS DE MOI QUE JE TE FASSE GOÛTER À MON PLÂTRE!

EST-IL À TON GOÛT?

SCHULZ

SALUT, CHUCK, ES-TU INTÉRESSÉ À FAIRE UN ÉCHANGE?

J'AURAIS BESOIN D'UN NOUVEL ARRÊT COURT CETTE ANNÉE... J'AIMERAIS ÉCHANGER MARCIE CONTRE SNOOPY... QU'EN PENSES-TU?

BIEN, JE NE SUIS PAS SÛR QUE TU...

ÇA MARCHE, CHUCK? MARCIE CONTRE SNOOPY!
MONSIEUR, VOUS NE LUI AVEZ PAS DIT QUE JE N'AIME PAS LE BASEBALL!
SCHULZ

MONSIEUR, JE TROUVE QUE VOUS ABUSEZ DE CHUCK...
T'ES FOLLE, MARCIE!

L'ÉQUIPE DE CHUCK EST TELLEMENT POURRIE, QUE ÇA NE PEUT PAS LUI FAIRE DE MAL, ET PUIS J'AI BESOIN DE SNOOPY...

JE N'AURAIS JAMAIS CRU ÊTRE ÉCHANGÉE CONTRE UN BEAGLE...
TU DEVRAIS ÊTRE FLATTÉE, MARCIE...

J'AURAIS PU T'ÉCHANGER CONTRE LEUR MASCOTTE!
SCHULZ

SALUT, CHUCK, VOICI TON NOUVEAU JOUEUR!

OÙ EST MON ARRÊT COURT?
DANS LA COUR... ES-TU SÛRE QUE TU VEUX TOUJOURS L'ÉCHANGER?

N'ESSAIE PAS DE T'EN SORTIR, CHUCK! UN ÉCHANGE EST UN ÉCHANGE! OÙ EST MON NOUVEL ARRÊT COURT?

SCHULZ

CHUCK, TU ES UN PROFITEUR.

TU M'AS ÉCHANGÉ UN JOUEUR AVEC UNE JAMBE CASSÉE!!
EN RÉALITÉ, C'EST LE MÉTATARSE QUI EST FRACTURÉ.

J'AI ÉTÉ VOLÉE! J'AI ÉTÉ TRAHIE!

JE VAIS ME PLAINDRE AU COMMISSAIRE DU BASEBALL!
ASSURE-TOI DE BIEN ÉPELER MON NOM, CHÉRIE!
SCHULZ

C'EST ÉPOUVAN-TABLE!

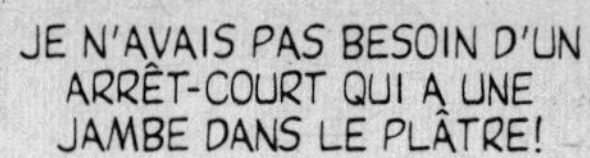
JE N'AVAIS PAS BESOIN D'UN ARRÊT-COURT QUI A UNE JAMBE DANS LE PLÂTRE!

CETTE AFFAIRE VA RUINER TOUS MES PLANS POUR LA SAISON DE BASEBALL!

T'IMAGINES-TU QUE JE SUIS CONTENT... JE NE POURRAI PROBABLEMENT PAS JOUER À WIMBLEDON CETTE ANNÉE...
SCHULZ

J'AI ÉTÉ VICTIME D'UN MAUVAIS ÉCHANGE, MARCIE!

C'EST DE VOTRE FAUTE, MONSIEUR! TOUS LES PROPRIÉTAIRES D'ÉQUIPE SONT PAREILS! VOUS PENSEZ QUE VOUS POUVEZ NOUS ÉCHANGER COMME DU BÉTAIL!

MEUH!
MOI AUSSI, JE VOUS DIS **MEEUH**, MONSIEUR!!

MEUH! MEUH! MEEEUH!!
AH, MISÈRE!
SCHULZ

TOUT LE MONDE DIT QUE TU ES INSUPPORTABLE DEPUIS QUELQUE TEMPS...
?
«LA PRÉSENTE ATTESTE QUE LE PORTEUR A UN PIED DANS LE PLÂTRE ET QU'IL A LE DROIT D'ÊTRE INSUPPORTABLE»
OÙ AS-TU PRIS ÇA?
JE L'AI EU AVEC LES BÉQUILLES!
SCHULZ
BONJOUR!
COMMENT VA ALEXIS LE TROTTEUR AUJOURD'HUI?
BANG!
JE N'AIME PAS CE GENRE D'HUMOUR!
SCHULZ

AARGGHH!

SALE PLÂTRE!
SCHULZ

CALME-TOI!

SCHULZ

TON DOCTEUR A RAPPELÉ.
QU'EST-CE QU'IL A, IL S'ENNUIE?

IL DIT QUE TU DOIS TE LEVER ET MARCHER SINON TU VAS PARALYSER...

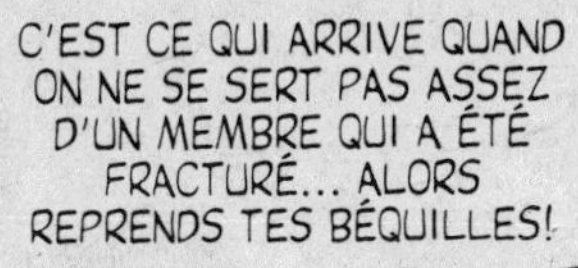

C'EST CE QUI ARRIVE QUAND ON NE SE SERT PAS ASSEZ D'UN MEMBRE QUI A ÉTÉ FRACTURÉ... ALORS REPRENDS TES BÉQUILLES!

SCHULZ

ON DIRAIT QU'IL VA PLEUVOIR...

ORGANISE-TOI POUR GARDER TON PLÂTRE AU SEC.

SCHULZ

CELA ME DÉPASSE...
JE N'AI JAMAIS CONNU PERSONNE QUI SOIT TOUJOURS AUSSI GROGNONNE QUE TOI!
COMMENT EXPLIQUES-TU ÇA?
IL NE FAUT JAMAIS CHANGER UNE BONNE MAIN!
SCHULZ
POUR LA LEÇON DE MORALE D'AUJOURD'HUI, JE VOUS AI AMENÉ UN HÉROS LOCAL!
LE PETIT ANIMAL QUE VOICI S'EST BRISÉ LE 5e MÉTATARSIEN EN SAUVANT TROIS HÔTESSES DE L'AIR QUI ÉTAIENT SUR DES CHEVAUX EMBALLÉS!
ÉCOUTEZ BIEN, JE VAIS VOUS DIRE COMMENT C'EST ARRIVÉ...
PARDON, MADA'AAME, SOMMES-NOUS NOTÉS SUR LA VÉRACITÉ DES FAITS?
SCHULZ

POUR LA LEÇON DE MORALE AUJOURD'HUI JE VOUS AMÈNE UN CHIEN HÉROS...

VOUS RÉALISEZ, ÉVIDEMMENT QUE CE N'EST PAS UN HÉROS QUI A DU CHIEN... MAIS BIEN UN CHIEN QUI S'EST CONDUIT EN HÉROS! VOUS VOYEZ CE QUE JE VEUX DIRE?

PAF!

BON, CONTINUONS L'HISTOIRE...

POUR COMMENCER L'HISTOIRE, NOUS DEVONS RECULER LOIN DANS LE TEMPS...

NOUS DEVONS CONNAÎTRE L'ENFANCE DE NOS TROIS HÔTESSES DE L'AIR, HENRIETTE, JOSÉE ET NICOLE...

HENRIETTE EST NÉE À QUÉBEC, JOSÉE À LAVAL DES RAPIDES ET NICOLE À CAUSAPSCAL... HENRIETTE N'AVAIT QUE TREIZE ANS, QUAND...

JE REGRETTE, MADAME... OUI, JE COMPRENDS... COMBIEN DE TEMPS NOUS RESTE-T-IL?

... C'EST LA FIN DE L'HISTOIRE DE NOTRE HÉROS!

À DIRE VRAI, IL N'EST PAS DU TOUT UN HÉROS... IL S'EST CASSÉ LE PIED EN TRÉBUCHANT SUR SON PLAT DE NOURRITURE!

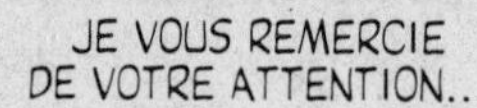

JE VOUS REMERCIE DE VOTRE ATTENTION...

NOUS VOUS RETOURNONS MAINTENANT AU POSTE DE VOTRE LOCALITÉ!
SCHULZ

JE NE DEVRAIS PAS ME PLAINDRE...

J'AVAIS UN ONCLE QUI S'EST DRÔLEMENT BLESSÉ EN CHASSANT LE LAPIN...

IL L'A POURCHASSÉ PENDANT DEUX MILLES AVANT DE L'ATTRAPER... PFIOU!!

LE LAPIN LUI A PRESQUE CASSÉ TOUS LES OS DU CORPS!
HI HI HI HI
SCHULZ

JE NE SUIS PAS CERTAIN... JE VAIS VÉRIFIER...

TU AS RAISON... C'EST CETTE SEMAINE QU'ON ENLÈVE TON PLÂTRE!
SCHULZ

NOTRE MAÎTRESSE A UNE THÉORIE INTÉRESSANTE...

ELLE DIT QU'ENSEIGNER C'EST COMME JOUER AUX QUILLES...

TU LANCES LA BALLE DE TON MIEUX AU MILIEU DE L'ALLÉE ET TU ESPÈRES QU'ELLE TOUCHERA LE PLUS D'ÉLÈVES POSSIBLE.

ELLE DOIT ÊTRE UNE MAUVAISE JOUEUSE DE QUILLES!
SCHULZ

MON CORPS BLÂME MON PIED PARCE QU'IL NE PEUT ALLER NULLE PART!

MON PIED DIT QUE C'EST LA FAUTE DE MA TÊTE ET MA TÊTE BLÂME MES YEUX...

MES YEUX DISENT QUE MES PIEDS SONT MALADROITS ET MON PIED DROIT DIT QU'IL N'EST PAS LE GARDIEN DE MON PIED GAUCHE...

JE NE DIS RIEN PARCE QUE JE NE VEUX PAS M'EN MÊLER!

DEVINE QUOI, SNOOPY!

TON DOCTEUR VIENT D'APPELER, IL DIT QU'IL PEUT ENLEVER TON PLÂTRE AUJOURD'HUI!
YOUPPI!

POISSON D'AVRIL!! HA! HA! HA! HA! HA!
!

BONG!
C'ÉTAIT DE TRÈS MAUVAIS GOÛT!